Leucemia mieloide aguda

Yaneisy Domínguez González
Yanelis Pérez Triana
Migdalia Reyes Ledon

Leucemia mieloide aguda

Doentes na fase de indução da remissão

ScienciaScripts

Imprint

Any brand names and product names mentioned in this book are subject to trademark, brand or patent protection and are trademarks or registered trademarks of their respective holders. The use of brand names, product names, common names, trade names, product descriptions etc. even without a particular marking in this work is in no way to be construed to mean that such names may be regarded as unrestricted in respect of trademark and brand protection legislation and could thus be used by anyone.

Cover image: www.ingimage.com

This book is a translation from the original published under ISBN 978-620-2-14333-2.

Publisher:
Sciencia Scripts
is a trademark of
Dodo Books Indian Ocean Ltd. and OmniScriptum S.R.L publishing group

120 High Road, East Finchley, London, N2 9ED, United Kingdom
Str. Armeneasca 28/1, office 1, Chisinau MD-2012, Republic of Moldova, Europe

ISBN: 978-620-7-30289-5

RESUMO:

A leucemia mieloide aguda (LMA) é responsável por 15% a 20% das leucemias em pacientes pediátricos. Com o objetivo de descrever os doentes diagnosticados com leucemia mieloide aguda na fase de indução da remissão, foi realizado um estudo descritivo e transversal em doentes diagnosticados com leucemia mieloide aguda no Hospital Pediátrico Universitário "José Luis Miranda" de Santa Clara. A população do estudo foi constituída por 24 doentes, que também constituíram a amostra. Os pacientes pediátricos com leucemia mieloide aguda atendidos no Hospital Pediátrico Universitário "José Luis Miranda" tinham uma distribuição semelhante segundo o sexo, e com maior frequência entre 1 e 14 anos de idade, principalmente de Sancti Spiritus e Villa Clara, com predomínio da cor branca e peso normal. Quase todos apresentavam anemia, leucocitose e trombocitopenia. As principais complicações foram a sépsis e a neutropenia febril, que não estiveram associadas ao sexo ou à idade dos doentes. A hiperleucocitose ocorreu nos doentes obesos e a cardiotoxicidade predominou nos doentes com excesso de peso e obesidade. Pouco mais de metade dos doentes morreram no final do estudo e, destes, um em cada dois morreu devido à indução.

ÍNDICE DE CONTEÚDOS:

INTRODUÇÃO:

O primeiro caso bem documentado de leucemia aguda (LA) é atribuído a Friedreich, mas foi Epstein que utilizou o termo leucemia aguda em 1889, o que levou ao reconhecimento geral das distinções clínicas entre leucemia mieloide aguda (LMA) e leucemia mieloide crónica. Em 1878, Neumann, que propôs que a medula óssea era o local de produção de células sanguíneas, sugeriu que a leucemia tinha origem neste órgão e utilizou o termo leucemia mielogénica. A disponibilidade de colorações policromáticas, tal como foi sequenciado pelo trabalho de Ehrlich, a descrição do mieloblasto e do mielócito por Naegeli e o primeiro reconhecimento da origem comum dos glóbulos vermelhos e dos leucócitos por Hirshfiel lançaram as bases para a atual compreensão da doença.[1]

O cancro é a segunda principal causa de morte no mundo, com um número de mortes que se aproxima dos cinco milhões. São cerca de 14 milhões de pessoas afectadas por estes processos proliferativos, com consequências económicas e sanitárias.[2]

O cancro é atualmente a segunda principal causa de morte também na infância, logo a seguir aos acidentes. A incidência anual do cancro infantil está estimada em 100-180 casos por milhão de crianças. As leucemias representam 33% de todos os cancros que ocorrem nas crianças e ocupam o primeiro lugar em todas as áreas geográficas, seguidas dos linfomas e dos tumores do sistema nervoso central.[2-6]

A incidência anual de todas as leucemias é de 8-10 casos por 100.000 habitantes. Entre estas patologias hematológicas, as leucemias agudas (LA) representam um importante problema de saúde.[5,6]

As AL são um grupo heterogéneo de doenças que envolvem a proliferação desordenada de um clone de células hematopoiéticas. A ausência de mecanismos de controlo da diferenciação celular deve-se principalmente a alterações nos genes reguladores, levando a uma produção excessiva de células incapazes de amadurecer e funcionar normalmente.[7-10]

Dentro da LLA, as leucemias linfoblásticas (LLA) representam 75% dos casos. O prognóstico das crianças com LLA melhorou substancialmente nas últimas quatro décadas. Atualmente, a probabilidade de remissão prolongada ou de cura aumentou de 5% em 1950 para taxas de sobrevivência a 5 anos de 86%,[8,9] . No entanto, as leucemias mielóides infantis continuam a representar um espetro de doenças malignas hematopoiéticas com um prognóstico difícil, especialmente tendo em conta que mais de 90% das leucemias mielóides são agudas.[1,4]

A leucemia mieloblástica aguda (LMA) é uma doença neoplásica resultante de uma proliferação clonal descontrolada de células precursoras anormais de linhagem mieloide, eritroide, monocítica, megacarioblástica e, menos frequentemente, mastocítica, basofílica e dendrítica. Infiltra-se na medula óssea, produz um grau variável de citopenias, envolve diferentes órgãos e/ou sistemas e causa a morte por hemorragia e/ou infeção.[11,12]

As leucemias mieloblásticas agudas (LMA) representam 15-20% das leucemias em doentes pediátricos. Consistem na proliferação clonal de células progenitoras mielóides imaturas, que levam à invasão da medula óssea e, em alguns casos, do fígado, do baço, dos gânglios linfáticos, bem como de outros órgãos e tecidos.[11-14]

Os avanços nos estudos moleculares, os tratamentos mais intensivos e os melhores cuidados de apoio aumentaram a taxa de sobrevivência desta doença.
[7-11].

4

São registados 1,5 a 3 novos casos de LMA por 100 000 habitantes, com a frequência a aumentar com a idade. A sua taxa de mortalidade aumenta progressivamente desde a infância até 20 por 100.000 pessoas na nona década de vida. Com exceção do primeiro mês de vida, em que é mais comum do que a LLA, a relação entre a LMA e a LLA é de 1:4. A sua incidência mantém-se estável até aos 10 anos de idade, aumenta moderadamente durante a adolescência e torna-se a forma mais frequente nos adultos. Não há diferenças na incidência por género ou raça.[15-17] Há poucas diferenças na incidência entre os de origem africana e europeia em qualquer idade.[14] O subtipo M3 de LMA é mais prevalente nos países latinos, representando 24% das LMA, em comparação com 15% nos países anglo-saxónicos.[15-17]

As causas da transformação maligna não são totalmente compreendidas, embora tenham sido identificados factores ambientais ou genéticos que favorecem a transformação maligna. Entre os factores ambientais envolvidos como agentes causais contam-se: doses elevadas de radiação, exposição prolongada ao benzeno ou a derivados do benzeno e tratamento com agentes alquilantes e outros agentes citotóxicos. Os factores genéticos incluem doenças mieloproliferativas crónicas e síndromes mielodisplásicos que podem evoluir para LMA.[18] Os doentes com síndromes de imunodeficiência ou doenças com anomalias cromossómicas têm uma maior incidência de desenvolver LMA.[13]

Existe uma elevada taxa de concordância de LMA em gémeos idênticos. Alguns vírus também podem causar leucemia, incluindo os retrovírus, como o HTLV-1 e o HTLV-2.[11,12]

As LMA podem ser classificadas de várias formas, incluindo morfologia, marcadores de superfície, citogenética e expressão de oncogene. A distinção entre LMA e LLA é muito importante, uma vez que diferem substancialmente nos aspectos prognósticos e terapêuticos.[17,18]

O primeiro sistema de classificação morfológica e citoquímica mais abrangente para as LMA foi desenvolvido pelo grupo de cooperação franco-americano-britânico (FAB). Este sistema classifica as LMA com base na morfologia e na deteção imunológica de marcadores de linhagem.[19,20] Entre 50% e 60% das crianças com LMA são classificadas de acordo com os subtipos M1, M2, M3, M6 ou M7; cerca de 40% têm subtipos M4 ou M5. A resposta à quimioterapia citotóxica entre as crianças com os diferentes subtipos de LMA é relativamente semelhante. O subtipo M3 da LMA é uma exceção, uma vez que cerca de 70% a 80% das crianças com LMA atingem a remissão e a cura com indutores de diferenciação celular e quimioterapia.[21,22]

Em 2002, a Organização Mundial de Saúde (OMS) propôs um novo sistema de classificação que incorporava informação citogenética de diagnóstico, papel da mielodisplasia e tratamento citostático prévio que se correlaciona de forma mais fiável com os resultados.[23]

A apresentação da LMA reflecte-se em sintomas e sinais que dependem do grau de infiltração da leucemia na medula óssea ou extra-medular. Para além dos sintomas e sinais, o diagnóstico de leucemia mieloide aguda baseia-se nos resultados da biopsia da medula óssea e do medulograma, que são geralmente hipercelulares, com a presença de 20-100% de células blásticas.[24]

Foram descritos vários factores que influenciam o prognóstico e a evolução da doença, entre os quais se destacam as anomalias citogenéticas e moleculares como as translocações t(8,21) e t(15,17), inv (16), rearranjo do gene 11q23, mutações activadoras do recetor FLT3 da tirosinkinase, duplicação interna em tandem, que juntamente com outras variáveis clássicas como a idade, o sexo, a contagem inicial de leucócitos, a

6

infiltração inicial do sistema nervoso central (SNC), a existência de doenças genéticas como a síndrome de Down, a história prévia de síndrome mielodisplásica ou a história prévia de síndrome mielodisplásica (SMD), O sexo, a contagem inicial de leucócitos, a infiltração inicial do sistema nervoso central (SNC), a existência de doenças genéticas como a síndrome de Down, a história prévia de síndrome mielodisplásica ou de anemia aplástica e a resposta ao tratamento, contribuem de forma importante para a determinação de diferentes grupos de risco para a gestão terapêutica e o prognóstico da doença.[22-24]

A partir de 1962, começaram a ser utilizados regimes de tratamento que combinavam vários medicamentos com diferentes mecanismos de ação, pela primeira vez com fins curativos. Nos anos 80, o grupo BFM (Berlim-Frankfurt-Münster) da Alemanha Ocidental começou a utilizar regimes de tratamento muito mais agressivos, de duração mais curta, e foram introduzidas doses elevadas de fármacos; desde então, os protocolos de tratamento têm-se centrado na intensificação dos tratamentos com fármacos conhecidos e não na introdução de novos fármacos.[25]

Na última década, embora os resultados do tratamento da LMA tenham melhorado, continuam a ser modestos e, na prática, a maioria dos doentes sucumbe a uma doença que recorre e progride após uma resposta inicial, ou que é refractária à quimioterapia desde o início. Por conseguinte, as LMA continuam a ser um desafio terapêutico importante no domínio das doenças malignas hematológicas.[19-21]

O Grupo Latino-americano para o Tratamento de Malignidades Hematológicas (GLATHEM), ao qual Cuba pertence desde 1973, desenvolveu protocolos semelhantes aos do grupo BFM com bons resultados, especialmente nas duas últimas décadas. O Hospital Pediátrico Universitário "José Luís Miranda" de Santa Clara, juntamente com o

7

Instituto de Hematologia e Imunologia, iniciou os estudos do GLATHEM aquando da sua fundação em 1973.[26-29]

A investigação sobre a LMA no Hospital Pediátrico Universitário José Luís Miranda, na cidade de Santa Clara, tem sido escassa. A falta de dados sobre as particularidades da LMA neste contexto pode prejudicar a assistência ao paciente e dificultar a conduta médica, o que justifica o seguinte problema científico:

Quais as características dos doentes com leucemia mieloide aguda em fase de indução de remissão atendidos no Hospital Pediátrico "José Luís Miranda"?

OBJECTIVOS:

Geral:

Descrever os doentes diagnosticados com leucemia mieloide aguda na fase de indução da remissão.

Específico:

1. Caracterizar o grupo de doentes de acordo com as variáveis variáveis epidemiológicas e laboratoriais.

2. Identificar as complicações mais frequentes que ocorrem durante a fase de indução do encaminhamento.

3. Determinar a associação entre as complicações e as variáveis estudadas.

4. Identificar as causas de morte na indução e o estado atual dos doentes na conclusão da investigação.

ENQUADRAMENTO TEÓRICO:

O tratamento de crianças com cancro é um dos desafios mais complexos da prática pediátrica. Começa com o requisito absoluto de um diagnóstico correto (incluindo a subtipagem), seguido de um processo de estadiamento preciso e abrangente da doença para determinar o prognóstico e culminando num tratamento multidisciplinar e frequentemente multimodal adequado, e exige uma avaliação assídua do potencial de recorrência do tumor e dos possíveis efeitos adversos tardios da doença ou dos tratamentos utilizados para a doença. Durante todo o tratamento, a criança com cancro deve beneficiar dos conhecimentos de profissionais de saúde especializados e treinados para trabalhar com crianças gravemente doentes.[24]

As leucemias podem ser definidas como um grupo de doenças malignas em que as perturbações genéticas de uma determinada célula hematopoiética resultam numa proliferação clonal não regulada de células. A descendência destas células apresenta uma vantagem de crescimento em relação aos elementos celulares normais devido à sua taxa de proliferação mais elevada e à menor incidência de apoptose espontânea. A consequência é uma perturbação da função normal da medula óssea e, em última análise, uma falência da medula óssea. As características clínicas, os resultados laboratoriais e a resposta ao tratamento variam consoante o tipo de leucemia.[24,25]

A leucemia mieloide aguda (LMA), também conhecida como leucemia não linfocítica aguda, é uma neoplasia das células mielóides causada pela transformação clonal e pela proliferação de progenitores imaturos que deslocam e inibem o crescimento da hematopoiese normal, sendo responsável por 15-20% das leucemias em doentes pediátricos.[21-23]

As inversões ou translocações cromossómicas adquiridas foram

10

identificadas em 65% das leucemias agudas (LA). Estes rearranjos estruturais afectam a expressão dos genes e perturbam o funcionamento normal da proliferação, diferenciação e sobrevivência das células.[18,30]

A fisiopatologia da LMA ocorre através da transformação de uma célula hematopoiética mieloide em maligna e da subsequente expansão clonal das células com supressão da hematopoiese normal. A investigação sobre as anomalias cromossómicas clonais ajudou a compreender a base genética da leucemia.[31]

De acordo com a FAB, as AMLs são classificadas da seguinte forma: [19, 20,26,29]

M0: Leucemia mieloblástica aguda indiferenciada.

A LMA M0 não expressa a mieloperoxidase (MPO) ao microscópio ótico, mas pode apresentar grânulos característicos ao microscópio eletrónico. A LMA M0 pode ser definida pela expressão de marcadores determinantes de clusters (CD), como CD13, CD33 e CD117 (c-KIT), na ausência de diferenciação linfoide. A classificação de M0 pressupõe que os blastos leucémicos não apresentam características morfológicas ou histoquímicas de LMA ou de leucemia linfoblástica aguda (LLA).

M1: Leucemia mieloblástica aguda com diferenciação mínima.

Expressão de MPO detectada por imunohistoquímica ou citometria de fluxo. Os blastos constituem mais de 90% das células não eritróides, são de tamanho médio a grande, com uma relação núcleo/citoplasma variável e um núcleo oval com um ou mais nucléolos. Têm um componente granulocítico <10% na maturação. A presença de bastonetes de Auer no citoplasma é variável.

M2: Leucemia mieloblástica aguda com diferenciação.

Neste subtipo de LMA, há evidência de maturação mieloide com um

11

componente granulocítico maduro (promielócitos a polimorfonucleares) superior a 10% das células não eritróides e um componente monocítico inferior a 20%. Os blastos constituem 30-89% das células não eritróides. A presença de bastonetes de Auer é mais frequente do que na M1 e os mieloblastos contêm grânulos azurófilos e nucléolos proeminentes.

M3: Leucemia promielocítica aguda (LPA) de tipo hipergranular.

As células em M3 são caracterizadas por hipergranulação dos promielócitos com abundantes bastonetes de Auer, por vezes formando feixes ou paliçadas. Se as granulações não obscurecerem o contorno do núcleo, o núcleo é reniforme ou dobrado. A MPO é fortemente positiva.

M3v:LPA, variante microgranular.

O citoplasma tem uma granulação muito fina que por vezes é difícil de ver à microscopia ótica.

A LMA M3 apresenta, a nível citogenético, uma translocação t (15; 17) que é observada tanto na variedade hipergranular como na microgranular. Neste subtipo de LMA, a membrana celular tem uma intensa atividade pró-coagulante e os grânulos têm atividade proteolítica, o que induz um quadro de coagulação intravascular disseminada e coagulopatia de consumo. Os doentes têm uma elevada tendência para desenvolver hemorragias intracranianas e pulmonares antes e depois do início do tratamento.

M4: Leucemia mielomonocítica aguda (LMA).

Neste subtipo de LMA, os blastos constituem mais de 30% das células não eritróides e apresentam características de leucemia mieloblástica aguda (M2) e de leucemia monocítica aguda (M5). Entre 20% e 80% das células não eritróides devem ter características monocíticas ou deve haver mais de 5×10^9 /L de monócitos no sangue periférico. Os níveis de lisozima no soro ou na urina devem ter aumentado para mais de três vezes o valor normal. Os doentes com uma medula óssea consistente com LMA M2 e monocitose periférica ou aumento dos níveis de lisozima devem ser classificados como M4.

M4E0: LMA com eosinofiliaNesta variante são detectados até 30% de eosinófilos com alterações morfológicas e citoquímicas.

M5: Leucemia monocítica aguda (AML0A).

A percentagem de células não eritróides com características monocíticas é superior a 80%.

M5a ou leucemia monoblástica, 80% das células da medula óssea não eritróides são monoblastos.

M5b. LM0A com diferenciação. Os monoblastos constituem menos de 80% do componente monocítico.

M6: Leucemia eritroide aguda ou eritroleucemia.

Mais de 50% das células nucleadas medulares são eritroblastos e pelo menos 30% das células não eritróides são blastos. Se forem observados eritroblastos, mas menos de 30% das células não eritróides forem blastos, deve ser considerada uma síndrome mielodisplásica.

M7: Leucemia megacariocítica aguda.

Os megacarioblastos malignos são heterogéneos, variando de pequenas células redondas semelhantes aos subtipos M1 ou L2 a grandes megacariócitos atípicos. Os megacarioblastos são mieloperoxidase e sudan negro negativos, podendo ser PAS positivos. Para o diagnóstico de M7, é necessária uma imunofenotipagem com anticorpos monoclonais que reconheçam antigénios plaquetários ou um exame ultra-estrutural da atividade da peroxidase plaquetária. Este subtipo está associado a mielofibrose ou aumento da reticulina da medula óssea, pelo que a colheita de amostras de aspirado de medula óssea é frequentemente mal sucedida. É frequente em doentes com síndrome de Down e LMA.[19,20,26-29]

O sistema de classificação proposto pela OMS em 2002 classifica as LMA da seguinte forma: [23]

- LMA com anomalias ananctogenéticas características ou

recorrentes. LMA com t (8; 21) (q22; q22); (LMA1/ETO).

LMA com inv16 (p13q22) ou t (16; 16) (p13; q22); (CBFß/MYH11).

LMA com t (15; 17) (q22; q12); (PML/RARα e variantes). LMA com t (6:9) (DEK/KAN).

LMA com t (9:11) (MLL/MLL-T3). LMA com t (1; 22).

- LMA relacionada com mielodisplasia.

- LMA, relacionada com a terapia. LMA em associação com agentes

alquilantes.

LMA relacionada com inibidores da topoisomerase II.

- LMA sem mais especificações.

Leucemia mieloblástica aguda minimamente diferenciada (classificação FAB M0). Leucemia mieloblástica aguda não maturativa (classificação FAB M1).

Leucemia mieloblástica aguda com maturação (classificação FAB M2).

Leucemia mielomonocítica aguda (classificação FAB M4).

Leucemia monoblástica aguda e leucemia monocítica aguda (classificações FAB M5a e M5b).

Leucemias eritróides agudas (classificações FAB M6a e M6b). Leucemia

14

megacarioblástica aguda (classificação FAB M7).

- LMA/desordem mieloproliferativa transitória na síndrome de Down. Leucemia basofílica aguda.

Panmielose aguda com mielofibrose.

- Sarcoma mieloide. LMA com antigénio Li positivo. LMA híbrida.

Na LMA, são detectadas alterações cromossómicas estruturais e/ou numéricas em 55% dos doentes. Os resultados do estudo citogenético no momento do diagnóstico são, juntamente com a idade, o fator prognóstico mais importante que determina a resposta ao tratamento e a sobrevivência.[13]

Com base nestes resultados, os doentes com LMA são classificados em três grupos citogenéticos: favorável, intermédio e desfavorável. Os avanços na genética molecular nos últimos 15 anos levaram à identificação de mais de 100 mutações e/ou rearranjos genéticos, que reflectem a heterogeneidade da doença, ajudam a estabelecer melhor o prognóstico da LMA e fornecem pistas para identificar alvos moleculares. As principais alterações moleculares são descritas de seguida:[5,35-39]

- Mutações do gene FLT3:

Esta é uma das mutações mais frequentes na LMA2 e está também associada à progressão da síndrome mielodisplásica para LMA secundária e leucemia promielocítica aguda (LPA). Foram identificadas mutações somáticas que resultam na ativação constitutiva do gene FLT3 em dois domínios funcionais do recetor: o domínio da justamembrana e o domínio da tirosina quinase.

De um ponto de vista clínico, estas mutações são clinicamente relevantes devido ao seu impacto prognóstico e porque são um alvo atrativo para a terapia molecular. Os doentes com FLT3-ITD têm uma contagem elevada de glóbulos brancos e uma elevada proporção de blastos na medula óssea e têm maior probabilidade de sofrer de LMA *de* novo do que os doentes com o gene FLT3 na linha germinal (FLT3-WT). Vários estudos demonstraram que a presença de FLT3-ITD em doentes com LMA CN está associada a um mau prognóstico, com diminuição da sobrevivência global (OS) devido ao aumento do risco de recidiva (RR). O prognóstico parece desfavorável, particularmente na ausência de expressão do alelo na linha germinal ou quando o rácio FLT3-ITD: FLT3-WT está aumentado. O prognóstico dos doentes com mutações pontuais TKD é controverso.[40]

- Mutações do gene c-KIT:

Cerca de 80% dos doentes com LMA têm blastos que expressam c-KIT. As mutações podem ser de dois tipos: as localizadas na porção extracelular do exão 8 e as mutações da ansa de ativação no códão 816 do exão 172. A frequência global destas mutações na LMA é baixa (6-8% e 2%, respetivamente).

Em certos subgrupos de LMA, a proporção de mutações c-KIT é mais elevada, 12 e 16% em doentes com LMA com t(8;21) e entre 22 e 13% em doentes com inv(16)/t(16;16), respetivamente.

Morfologicamente, 70% dos doentes com mutação do c-KIT são classificados como M2 FAB. Na LMA com t (8; 21), a mutação do gene c-KIT está associada a leucocitose aquando do diagnóstico. A incidência de c-KIT não difere significativamente entre LMA *de* novo, LMA secundária a MDS e LMA secundária a tratamento quimioterápico.[37]

- Mutações dos genes RAS:

Na LMA, a frequência das mutações RAS é independente da idade, sexo, contagem inicial de glóbulos brancos, classificação da OMS, LMA de novo e LMA secundária. Os subgrupos de LMA com inv (16)/t (16; 16) ou inv (3)/t (3; 3) têm uma elevada frequência de mutações RAS, entre 35 e 27%, respetivamente, em contraste com a baixa frequência na LPA. A coexistência de mutações nos genes RAS e FLT3 é rara (2%). Esta raridade é consistente com o modelo cooperativo de leucemogénese descrito acima. A maioria dos estudos não demonstrou o impacto prognóstico das mutações do gene RAS na OS, na sobrevivência livre de doença (DFS) e na RR, embora se acredite que as mutações do gene RAS possam representar um fator de progressão. [40,41]

- Mutações do complexo CBF:

Citogeneticamente, o grupo CBF é definido pela presença de t(8;21)(q22;q22) ou inv(16)(p13q22)/ t(16;16)(p13;q22). Ambos os subgrupos representam 15% das LMA e são considerados como tendo um prognóstico favorável, com elevadas taxas de RC e de SO prolongadas.

Os doentes com t (8; 21) e inv (16)/t (16; 16) beneficiam da terapêutica de consolidação com citarabina em dose elevada. Alguns estudos mostram uma OS superior em doentes com inv (16)/t (16; 16) em comparação com os doentes com t (8; 21).[26, 29]

- Mutações do gene CEBPA:

As mutações CEBPA contribuem para o bloqueio da maturação dos progenitores mieloides na LMA. Estão frequentemente associadas aos tipos de FAB M1 e M2, tendo sido observadas em 7-9% dos casos de LMA. Em doentes com LMA e t (8; 21) (q22; q22), que está associada à morfologia M2, a proteína de fusão AML1-ETO inibe a expressão de CEBPA para níveis insuficientes para a diferenciação de neutrófilos. [42]

Estes dados e a constatação de que o bloqueio da diferenciação observado no ratinho *knockoutcebpa é* semelhante ao fenótipo M2 apoiam a hipótese

17

de que a mutação CEBPA e a t (8; 21) podem ter uma via comum na patogénese da LMA.

Existem 2 tipos de mutações: as N-terminais, que impedem a expressão total da proteína, e as C-terminais, que resultam numa ligação deficiente ao ADN ou inibem a capacidade de dimerização. Alguns doentes apresentam uma única mutação, enquanto outros apresentam mutações múltiplas. As mutações CEBPA têm sido associadas a um SG e a um LES favoráveis, têm sido descritas em doentes com citogenética de prognóstico intermédio e não foram observadas em leucemias de prognóstico. Favorável, ou seja, leucemias CBF7. Os dados clínicos sugerem uma resposta favorável à quimioterapia com citarabina em doses elevadas, com uma OS semelhante à obtida nas leucemias CBF.[42]

- Mutações do gene MLL:

O gene MLL, localizado no cromossoma 11q23, apresenta aberrações cromossómicas recorrentes em doentes com leucemia aguda. Assim, 15% dos doentes com leucemia aguda, mieloide, linfoide, *de novo* ou secundária a tratamento com inibidores da topoisomerase II, apresentam alterações neste gene, estando a sua presença, em algumas séries, associada a curta duração da RC e a um LES curto.[43-45]

A LMA manifesta-se com sinais e sintomas relacionados com uma hematopoiese ineficaz (infeção, hemorragia e diminuição da capacidade de transporte de oxigénio). Os sinais e sintomas comuns na LLA (mieloblástica ou linfoblástica) são dores ósseas, cansaço, fadiga, falta de ar, mialgia e hemorragias gengivais. Na LMA, os dados laboratoriais incluem um hemograma completo que revela anemia, trombocitopenia, leucocitose ou neutropenia. Uma coagulopatia semelhante à coagulopatia intravascular disseminada, manifestada por fibrinogénio baixo e tempo de tromboplastina parcial activada elevado. O exame do sangue periférico mostra mieloblastos com bastonetes de Auer, que são pedaços alongados de cromatina.[1,11,12,46]

O diagnóstico da LMA implica uma avaliação do estado físico, dos dados do hemograma, do aspirado da medula óssea e da biopsia. O exame da morfologia da medula óssea permite calcular a percentagem de blastos no espaço medular e os dados morfológicos que permitem distinguir entre blastos linfóides e mielóides. Para confirmar o diagnóstico, são efectuadas colorações específicas, imunofenotipagem e análise citogenética.[11,12,14]

A análise citogenética permite-nos examinar os cromossomas das células leucémicas para detetar anomalias genéticas. As lesões genéticas responsáveis pela forma de crescimento aberrante do clone leucémico incluem perdas ou ganhos cromossómicos, resultando num hiperdiplóide ou hipodiplóide; translocações cromossómicas que levam à formação de genes de fusão transformados ou à desregulação da expressão genética; e inativação da função de genes supressores de tumores.[12]

Os protocolos pediátricos contemporâneos eficazes para a LMA atingem taxas de remissão completa de 75% a 90%. Dos doentes que não entram em remissão, cerca de metade têm leucemia refractária e a outra metade morre devido a complicações da doença ou do seu tratamento. Para conseguir uma remissão completa, é normalmente necessário induzir uma aplasia profunda da medula óssea (com exceção da APL subtipo M_3). A quimioterapia de indução provoca uma mielossupressão grave, com morbilidade e mortalidade significativas por infeção ou hemorragia.[1,8,9,11]

Os dois medicamentos mais eficazes utilizados para alcançar a remissão são o ARA-C e uma antraciclina. Os regimes de tratamento de indução mais utilizados em pediatria utilizam a citarabina e uma antraciclina em combinação com outros medicamentos, como o etoposido ou a tioguanina.

19

O grupo BFM estudou a citarabina e a daunorrubicina mais etoposido (ADE) administrados durante 8 dias. A daunorrubicina é a antraciclina mais utilizada nos regimes de indução em crianças com LMA, embora a idarubicina também tenha sido utilizada. [21,23,25]

A intensidade da terapêutica de indução influencia o resultado global da terapêutica. Embora a presença de leucemia do sistema nervoso central (SNC) no momento do diagnóstico seja mais comum na LMA infantil do que na LLA infantil, a redução da sobrevivência global diretamente atribuível ao envolvimento do SNC é atualmente menos comum na LMA infantil. Esta constatação pode estar relacionada com as doses mais elevadas de quimioterapia utilizadas na LMA (que podem atravessar a barreira hemato-encefálica) e com o facto de a doença da medula espinal na LMA ainda não ter sido eficazmente controlada a longo prazo, como aconteceu na LLA. As crianças com subtipos de LMA M_4 e M_5 têm a maior incidência de leucemia do SNC.[25, 29]

O agente antineoplásico ideal seria aquele cujo mecanismo de ação envolvesse as características distintivas entre as células normais e as células tumorais, permitindo que o processo maligno fosse combatido com o mínimo de danos para o tecido normal. Em geral, os alvos celulares da maioria dos agentes antineoplásicos são enzimas ou substratos relacionados com a síntese ou função do ADN. Apesar das tentativas do mundo médico e farmacêutico para encontrar o agente ideal, não foi possível contrariar os efeitos dos fármacos quimioterapêuticos nas células não tumorais, o que os torna agentes altamente destrutivos e muito complicados.[30,31]

De seguida serão apresentadas as principais características dos fármacos utilizados no tratamento de indução dos doentes afectados por esta patologia, com destaque para os efeitos adversos que podem ser reportados, uma vez que estes constituem o principal objeto de estudo desta investigação.

♦ Arabinosídeo de citosina (citarabina):[47]

Trata-se de um análogo da desoxicitidina cujo metabolito é trifosforilado. O arac-CTP compete com o CTP pela incorporação no ADN. O resíduo incorporado é um potente inibidor da ADN polimerase. O arac-CMP inibe igualmente a síntese de glicoproteínas e fosfolípidos de superfície, alterando assim a estrutura e a função da membrana celular.

A sua biodisponibilidade é baixa, 78% é eliminado na urina e atravessa bem a barreira hemato-encefálica. Pode ser utilizado por via intravenosa, intratecal e subcutânea. As suas principais interacções são com o alopurinol, a colchicina, a probenecida e a sulfinpirazona.

A sua toxicidade é indicada ao nível:

- Gastrointestinal: Pode manifestar-se por dores abdominais, náuseas, vómitos, estomatite, diarreia, pancreatite e necrose intestinal.

- Hematológicas: pode ocorrer mielossupressão no prazo de 7 a 14 dias.

- Dermatológicas: como alopécia, erupção cutânea, dermatite, prurido, urticária.

- Ao nível do sistema nervoso central pode produzir: aracnoidite química, paraplegia transitória, neuropatia periférica, leucoencefalopatia irreversível com nistagmo, ataxia, disartria, dismetria, alucinações. Podem também ocorrer convulsões, coma e morte. Observa-se principalmente em caso de sobredosagem intratecal do fármaco e surge em todo o seu esplendor 7 a 8 dias após a administração do fármaco.

- Renal: manifesta-se por retenção de água e disfunção renal.

- Hepática: manifesta-se por síndroma de obstrução sinusoidal hepática, colestase intra-hepática e disfunção hepática.

21

- Outras: Podem também ocorrer outras manifestações de toxicidade, tais como: queratoconjuntivite química em doses elevadas, reação anafilactóide de tipo I, síndrome citosar caracterizada por febre, mialgia, altralgia, erupção cutânea rashmaculopapular, astenia e conjuntivite, que surgem geralmente dentro de 6-12 horas após a administração do medicamento e devem ser tratadas com esteróides, taquiarritmias e pneumonite.[47-49]

   ♦ Antraciclinas:

São um grupo de antibióticos antitumorais que foram descritos pela primeira vez em 1963, extraídos do Streptomyces Peucetius, o seu primeiro composto descrito foi a daunorrubicina e mais tarde obteve-se, por indução de mutação, a doxorrubicina que se diferencia dos seus similares por um grupo hidroxilo que lhe permite ter um padrão antitumoral muito mais alargado. A segunda geração de antraciclinas que inclui a idarrubicina e a epirrubicina são de características sintéticas.

Estes compostos são constituídos por vários anéis: a, b, c, d, que formam um anel tetracíclico plano com cadeias laterais variáveis, incluindo a doaunoxamina. Os anéis b e c possuem quinona e hidroquinona, responsáveis pela fluorescência destes produtos, pela capacidade de formar radicais livres e de criar iões metálicos. A estrutura plana das antraciclinas permite a sua interposição entre as bases do ADN, levando a alterações topológicas que resultam na inibição da síntese de ADN, ARN e proteínas.

São também compostos que inibem a topoisomerase II, a enzima responsável pela condensação cromossómica do ADN, e esta inibição resulta na formação de complexos ADN-enzima-ANT que conduzem a quebras do ADN. Outro mecanismo invocado na sua ação inclui a geração

22

de radicais livres responsáveis por múltiplas lesões tecidulares. Os radicais livres estão ativamente envolvidos no mecanismo patogénico de cardiotoxicidade destes compostos. Foi também sugerido que a interação nas vias de transdução de sinal intracelular pode contribuir para a sua ação anti-tumoral.[49,50]

Farmacocinética: Pouca disponibilidade por via oral, com exceção da idarrubicina que é bem absorvida por esta via, a sua utilização é exclusivamente por via intravenosa, cerca de 75% está ligada às proteínas plasmáticas. Em todos os casos, as antraciclinas têm um metabolismo hepático onde são formados os seus diferentes metabolitos, a excreção é predominantemente biliar e apenas a epirrubicina tem uma excreção renal mais elevada, uma vez que forma derivados glucurónicos solúveis.[51]

Os compostos que podem ser encontrados neste grupo estão listados abaixo:

o Daunorrubicina: Apresentação: ampolas de 10mg/5ml e 20mg/10ml.

o Daunorubicinaliposomal: Apresentação: ampolas de 50 mg que só podem ser diluídas em solução de glucose a 5%, não diluir em solução salina fisiológica a 0,9%, a concentração final deve ser de 1 mg/ml.

o Doxorrubicina: Apresentação: ampolas de 10mg/5ml e 50mg/10ml.

o Doxorrubicinaliposomalpegilado:Apresentação: ampolas de 20 mg / 10 ml, só podem ser diluídas em solução de glucose, não utilizar solução salina.

o Apresentação: Ampolas de 5mg/5ml e 10mg/10ml e cápsulas de 5 e 25 mg.

o Mitoxantrona: Apresentação. Ampolas de 20 e 30 mg.[1,11,13]

Interacções: As antraciclinas podem sensibilizar os tecidos normais para o efeito da radioterapia e podem provocar reacções de evocação nas zonas irradiadas. Não devem ser administradas concomitantemente com alopurinol, colchicina ou probenecida, uma vez que aumentam os níveis de ácido úrico no sangue. A daunorrubicina é incompatível com heparina, dexametasona sódica e compostos contendo alumínio.[1,11,13]

Toxicidade:

- Sintomas intestinais: anorexia, diarreia, mucosite, estomatite.

- Hematológicas: mielossupressão.

- Dermatológicas: rubor facial, hiperpigmentação da pele, erupção cutânea, flebosclerose; no caso da mitoxantrona, pode observar-se uma descoloração azulada das unhas após o tratamento.

- Outros: amenorreia, afrontamentos, oligospermia, azoospermia, arrepios, fotossensibilidade, reação anfilactoide, elevação das enzimas hepáticas, urina vermelha.

O efeito secundário mais temido com a utilização de antraciclinas está relacionado com a cardiotoxicidade. As antraciclinas fazem parte de muitos esquemas terapêuticos utilizados em doentes com doenças neoplásicas há mais de três décadas, tendo sido um importante pilar nas conquistas em termos de sobrevivência, principalmente no grupo etário pediátrico, Se tivermos em consideração que a leucemia linfoide aguda é a hemopatia maligna mais frequente na criança e que esta linha terapêutica é vital para alcançar a cura da doença, podemos compreender porque são efectuados estudos multicêntricos para monitorizar o seguimento e a evolução das complicações tardias dos agentes antineoplásicos. Os efeitos tardios no sistema cardiovascular estão entre os mais temidos. [51,52]

Existem diferentes tipos de cardiotoxicidade das antraciclinas, dependendo principalmente da sequência temporal em que surgem as manifestações e do tipo de cardiotoxicidade. Podem ser divididos em:

Aguda: ocorre durante a infusão ou horas após a infusão, é transitória e apresenta distúrbios eléctricos. É menos frequente do que a crónica e é rara após uma dose única.

As perturbações eléctricas mais frequentes sob esta forma:

- Alterações não específicas do segmento ST-T.

- Diminuição do QRS.

- Prolongamento do segmento QT.

- Taquicardia sinusal.

- Arritmias supraventriculares e ventriculares.

- Perturbações da condução (bloqueio AV e bloqueio de ramo).

Subaguda: ocorre dias ou semanas depois, sendo as mais frequentemente descritas a pericardite, a miocardite e a insuficiência cardíaca congestiva.

Crónica: a crónica clinicamente progressiva de início precoce é a mais comum e surge no primeiro ano de tratamento, caracterizando-se por cardiomiopatia e insuficiência cardíaca aguda; a crónica clinicamente progressiva de início tardio pode surgir até 20 anos após o fim do tratamento e caracteriza-se principalmente por insuficiência cardíaca, arritmias e disfunção ventricular. A forma crónica é a forma mais comum de cardiotoxicidade das antraciclinas e está geralmente relacionada com o efeito cumulativo do fármaco.[51-53]

O mecanismo de toxicidade pode ser devido à inibição da função da Topoisomerase II, que é uma enzima muito importante envolvida na reparação das cadeias de ADN. Estes fármacos também geram grandes quantidades de radicais livres a partir dos complexos ferro-antraciclina que podem causar danos na membrana citoplasmática por peroxidação lipídica, Esta parece ser a principal causa de cardiotoxicidade, uma vez

25

que o coração possui poucos complexos enzimáticos para limitar os danos causados pelos radicais livres, o que o torna muito sensível ao stress oxidativo.[9,54]

A lesão do miocárdio deve-se à apoptose dos miócitos, à lesão dos tecidos e à fibrose. O efeito dos radicais livres inclui a diminuição da ligação do cálcio ao retículo sarcoplasmático, o que leva a uma sobrecarga de cálcio e a uma falha da contratilidade, a defeitos na expressão dos genes da troponina, da actina e da cadeia leve da miosina e à libertação de aminas vasoactivas e de citocinas pró-inflamatórias, como o fator de necrose tumoral e a interleucina 2, mas, além disso, os radicais livres podem ativar sistemas de sinalização intracelular que desencadeiam a maquinaria da morte celular programada.[55]

A perda grave de miofibrilhas, a rutura mitocondrial pelo processo inflamatório e a degeneração nuclear têm sido observadas como consequências histopatológicas das alterações acima referidas. O grau destas alterações tem sido utilizado para definir a gravidade da lesão, no entanto, as biopsias endomiocárdicas seriadas não são habitualmente utilizadas devido ao seu carácter invasivo e ao seu fraco valor preditivo. Existem vários métodos não invasivos que podem ser utilizados para este fim, como a ecografia em repouso e durante o exercício para medir a fração de encurtamento e a angiografia com radionuclídeos para medir a fração de ejeção. A presença de alterações da função diastólica e sistólica sugere danos no miocárdio antes da expressão clínica, mas não são indicadores precoces de cardiotoxicidade.[54,55]

O dano histológico não é homogéneo, frequentemente mosqueado, confinado a uma parede ou ventrículo, e a sequência do dano histológico começa com edema do retículo sarcoplasmático, vacuolização citoplasmática, degeneração miofibrilar, rutura dos miócitos e fibrose.

Com base na gravidade destas alterações, foi proposta uma classificação do dano histológico.

Grau 0: Sem alterações.

Grau 1: Menos de 5% das células com alterações precoces (perda de miofibrilhas e/ou edema do retículo sarcoplasmático).

Grau 1.5: 5-15% das células com alterações distintas (perda acentuada de miofibrilhas e/ou vacuolização citoplasmática).

Grau 2: 16-25% das células com alterações definitivas. Grau 2.5: 26-35% das células com alterações definitivas.

Grau 3: Danos celulares difusos superiores a 35% com alterações acentuadas (perda de elementos contrácteis, perda de organelos intracelulares, degeneração mitocondrial e/ou nuclear).[57,58]

A evolução clínica da disfunção ventricular esquerda induzida pelas antraciclinas é insidiosa, progressiva e geralmente irreversível, embora possa ocorrer regressão espontânea se o fármaco for descontinuado em fases precoces da lesão histológica.[58]

Foram propostas diferentes técnicas para a avaliação do dano miocárdico, das quais as mais utilizadas são:

- Eletrocardiografia em repouso: foi referido que a análise da variabilidade da frequência cardíaca pode ser um índice precoce de cardiotoxicidade, reflectindo a disfunção autonómica com função sistólica consensual.

- Ventriculografia radioisotópica: fornece a fração de ejeção do ventrículo esquerdo, que se encontra alterada antes do aparecimento de sinais clínicos de insuficiência ventricular, e pode ser realizada com uma técnica de primeira passagem ou desencadeada topograficamente (spect).

- Ecocardiografia bidimensional de superfície: O cálculo da fração de ejeção do ventrículo esquerdo tem uma correlação aceitável com os estudos radioisotópicos e angiográficos. A sua principal desvantagem é a dependência do operador e a fraca janela acústica. Sendo um método não relacionado com radiação ionizante, tem sido preferido para utilização na população pediátrica. É interessante notar que a avaliação ultra-sonográfica da função diastólica através do estudo em modo M da motilidade da raiz da aorta e da válvula mitral, bem como outros parâmetros de eco-Doppler, têm sido relatados como indicadores precoces de lesão miocárdica.

- Biópsia endomiocárdica: Apesar de ser a técnica de referência, é um procedimento que requer operadores treinados na sua interpretação, para além do seu elevado custo e invasividade, pelo que a sua utilização tem sido deixada para os casos em que os estudos não invasivos são inconclusivos.

- Anticorpos antimiosina marcados com índio-111: embora pareçam ter uma sensibilidade muito boa, o seu custo elevado e a sua disponibilidade limitada limitam a sua utilização no estudo da cardiotoxicidade crónica das antraciclinas.

- Quantificação dos receptores adrenérgicos com meta-iodobenzil-guanidina marcada com iodo 123.

- Marcadores bioquímicos plasmáticos: endotelina-1, toponina T e péptido natriurético B são os principais marcadores.[57-59]

Foram estabelecidos vários factores que predispõem ou agravam os danos cardiovasculares causados por estes agentes antineoplásicos e que servem de base para os especialistas prevenirem os doentes que podem desenvolver mais danos.

Factores de risco de cardiotoxicidade: [51,58]

- Idade (idades extremas, como menos de 15 e mais de 65 anos).

- Efeito cumulativo do medicamento.

- História de doença cardíaca prévia.

- Utilização de radioterapia do mediastino o concomitância com outros medicamentos cardiotóxicos.

- Sexo feminino.

- Deficiência de vitamina E.

- Tipo de antraciclina utilizada.

A mortalidade por esta causa é considerada muito elevada, sendo a sobrevida inferior nos doentes com cardiomiopatia dilatada. Foram postas em prática numerosas estratégias para prevenir estas complicações, principalmente modificações da dose, utilização de novas preparações de antraciclinas, utilização de anti-cálcio, beta-bloqueantes, utilização de cardioprotectores, tais como agentes quelantes do ferro e eliminadores de radicais livres. Os fármacos habitualmente utilizados incluem o dexrazoxano, a amifostina, o glutatião, a vitamina E, a eritropoietina, o captopril, o verapamil, o probucol e a melotonina. O mais utilizado é o dexrazoxano. [57-60]

A definição da dose máxima previsível para cada agente antraciclínico, juntamente com a evolução seriada e não invasiva da função ventricular esquerda, são atualmente a base fundamental para a prevenção da cardiotoxicidade. [58]

Atualmente, os limites máximos de dose recomendados para a utilização de antraciclinas são os seguintes [56-60]

- Doxorrubicina: >550 mg/m^2 sc (dose total).

- Daunorrubicina: >550 mg/m^2 sc (dose total).

- Mitoxantrona: 100-200mg/m^2 sc (dose total).

- Epirrubicina: 800 mg/m^2 sc (dose total).

- Idarrubicina: 120mg/m^2 sc (dose total)

Epipodofilotoxinas: Na década de 1950, foram desenvolvidos dois compostos a partir da podoxifilina, conhecidos como etopoxido e tenipoxido, que foram aprovados pela FDA para o tratamento de várias neoplasias malignas em 1983. A podoxifilina é um extrato de Podopyillum pertatum e as suas propriedades antineoplásicas foram descritas pela primeira vez em 1946, embora antes disso tenha sido utilizada no tratamento de várias outras doenças menores.[61]

Etopoxido (VP-16): A sua atividade baseia-se principalmente nas ligações cruzadas que induz entre o ADN e as proteínas, formando complexos não funcionais, e nas quebras que provoca nas cadeias de ADN. Induz um bloqueio irreversível nas células em fases pré-mitóticas do ciclo celular, anulando-as na fase de síntese ou em G2. Produz uma inibição reversível da Topoisomerase II, permitindo que o ADN realize as suas funções de replicação e transcrição.[61]

A sua principal via de administração é a intravenosa, embora possa ser utilizada por via oral. Está 90-95% ligada às proteínas plasmáticas e o seu metabolismo é hepático e os seus metabolitos conjugados não têm atividade antineoplásica. É importante notar que os doentes com hipoalbuminemia terão maior toxicidade com a mesma dose do fármaco, uma vez que a concentração do fármaco livre ou ligado às proteínas tem uma relação proporcional com a concentração de albumina. Não atravessa a barreira hemato-encefálica.[61,62]

30

Interacções: Foram descritos diferentes compostos que aumentam a toxicidade do etopoxido, entre os quais os mais mencionados são a cisplatina, a ciclosporina e o sumo de toranja, que por sua vez aumenta o efeito anticoagulante da varfarina.

Toxicidade:[63,64]

- Gastrointestinal: náuseas, vómitos, anorexia, mucosite, obstipação, dor abdominal, diarreia, alterações do paladar, disfagia.

- Hematológicas: mielossupressão.

- Hepática: disfunção hepática.

- Dermatológicas: flebite, necrólise epidérmica tóxica, alopécia, hiperpigmentação, prurido, dermatite.

- SNC: neurotoxicidade periférica.

- Outros: reacções de hipersensibilidade, cardiotoxicidade em doses elevadas, síndroma de Stevens-Johnson, segunda neoplasia maligna, hipotensão transitória que pode ser grave se administrada nos 30 minutos seguintes.

Um dos principais desafios no tratamento da LMA é prolongar a duração da remissão inicial com quimioterapia adicional ou TCTH. Na prática, a maioria dos doentes é tratada com quimioterapia intensiva depois de atingida a remissão, porque apenas um pequeno subgrupo tem um dador aparentado compatível. Este tratamento utiliza fármacos que foram utilizados na indução e inclui normalmente doses elevadas de C-ARBs. [1]

O transplante de medula óssea na primeira remissão tem sido avaliado desde o final da década de 1970. Ensaios recentes de transplante em crianças com LMA indicam que mais de 60% a 70% das crianças com dadores compatíveis disponíveis que são submetidas a transplante alogénico de medula óssea durante a sua primeira remissão apresentam remissões a longo prazo. Ensaios de transplante alogénico comparados com quimioterapia ou transplante autólogo demonstraram resultados superiores em doentes que foram designados para transplante alogénico com base na disponibilidade de um dador aparentado 6/6 ou 5/6.[65-67]

Surgiram duas abordagens para a utilização do transplante alogénico de medula óssea na primeira remissão. O grupo BFM utiliza uma combinação da resposta da medula óssea ao 15º dia (<5% de blastos) e do subtipo FAB (M1 e M2 com bastonetes de Auer, M3 ou M4 E0) para definir um grupo de bom risco.[44] Do mesmo modo, o Medical Research Council (MRC) do Reino Unido identificou um grupo de doentes de bom risco com uma sobrevivência de sete anos após uma remissão completa de 78% e uma sobrevivência livre de doença de 59%. Os doentes deste grupo incluem os doentes com t (8; 21), t (15; 17), FAB M3, inv16. Isto identifica muito provavelmente um grupo equivalente de doentes incluídos no grupo de risco padrão do BFM. A segunda abordagem consiste em oferecer o transplante alogénico de medula óssea a todos os doentes que tenham um familiar dador compatível.[65-68]

Com o passar do tempo, com o advento de novos conhecimentos e avanços tecnológicos que nos permitem identificar alvos moleculares mais específicos, o tratamento da LMA pode ser melhor estratificado de acordo com o risco e os fármacos a utilizar podem ter um maior efeito anti-tumoral e muito menos complicações, o que permitirá uma maior sobrevivência global das nossas crianças e uma melhor qualidade de vida.

CONCEPÇÃO METODOLÓGICA:

Foi efectuado um estudo transversal descritivo dos doentes diagnosticados com leucemia mieloide aguda na fase de indução da referenciação no Hospital Pediátrico Universitário "José Luís Miranda" de Santa Clara.

A população do estudo foi constituída por 24 crianças diagnosticadas com leucemia mieloide aguda na fase de indução da remissão. Não foi necessário aplicar técnicas de amostragem.

VARIÁVEIS:

VARIÁVEIS	DESCRIÇÃO	ESCALA DE MEDIÇÃO
Idade.	Idade em anos completados.	❖ < 1 ano ❖ 1 - 4 anos ❖ 5 - 9 anos ❖ 10 - 14 anos ❖ 15 - 19 anos
Sexo.	De acordo com o sexo biológico.	❖ Homem. ❖ Feminino.
Proveniência.	Determinar por províncias de acordo com a divisão político-administrativa e a zona de proveniência do doente.	❖ Santi Spiritus ❖ Vila Clara ❖ Ciego de Ávila ❖ Cienfuegos ❖ Granma ❖ Matanzas
Cor da pele	De acordo com a cor da pele	❖ Branco ❖ Não-branco
Estado nutricional.	O estado nutricional da criança, de acordo com as tabelas nacionais, deve ser tido em conta.	❖ Malnutrido. ❖ Delgado. ❖ Peso normal. ❖ Excesso de peso. ❖ obeso.
Hemoglobina	Valor de estreia expresso em g/L	< 11 g/dl (anemia) 11 a 15 g/dl (normal)
Leucócitos	Valor de estreia expresso x $10/L^9$	< $5*10^9$ /L (leucopenia) 5 a 11 $*10^9$ /L (normal) > $11*10^9$ /L (leucocitose)
Plaquetas	Valor de estreia expresso x	< $150*10^9 * L$

	10 /L.^{9}	(Trombocitopenia) 150 a 450 *10^9 * L (normal)
Complicações	Acontecimentos ocorridos na fase de indução da remissão que afectam a evolução e o prognóstico do doente.	Sépsis. Neutropenia febril. Hemorragia antes da quimioterapia. Síndrome de Lisistumoral. Hemorragia devido à quimioterapia. Cardiotoxicidade. Hiperleucose.
Causas de morte na fase de indução.	Eventos que levaram à morte do doente durante a fase de indução da remissão (causas directas de morte).	Sépsis grave Hemorragia intraparenquimatosa a +CID Hemorragia intraparenquimatosa a +SDMO Hemorragia intraparenquimatosa.
Situação atual	Estado de sobrevivência do doente no momento em que culmina a investigação.	Vivo Falecido em indução Falecido por outra causa

Técnicas e procedimentos:

A fonte utilizada foi a história clínica de cada paciente, da qual foram obtidas todas as variáveis reflectidas no estudo.

Processamento de informação:

Os dados recolhidos dos registos médicos foram introduzidos num ficheiro de dados no SPSS, versão 15.0 e, com a ajuda deste pacote estatístico, foram criados dados e gráficos para estabelecer relações entre as variáveis.

Foram criadas tabelas de distribuição de frequências com valores absolutos (número de casos) e relativos (por cem).

Do ponto de vista inferencial, foi aplicado o teste do Qui-quadrado para determinar se existe independência estatística (quando p>0,05) ou não entre as variáveis, no caso de uma tabela de contingência com valores esperados inferiores a 5.

Considerações éticas:

O estudo foi realizado de acordo com a declaração da Assembleia Mundial de Helsínquia, após consulta da análise e aprovação pela Comissão Científica Institucional e pela Comissão de Ética para a Investigação. Apenas foi recolhida informação dos registos clínicos, sem qualquer intervenção nos doentes. A confidencialidade da informação foi mantida através da não publicação da identidade das pessoas incluídas no estudo.

RESULTADOS:

A distribuição das crianças com leucemia mieloide aguda por idade e sexo é apresentada no **quadro 1.**

Do sexo masculino, foram identificados 12 doentes, o que corresponde a 50 %, e do sexo feminino, 12 doentes, o que corresponde aos restantes 50 %.

De acordo com a idade, a distribuição foi semelhante nos grupos de 1 a 4 anos, 5 a 9 anos e 10 a 14 anos, com 6 crianças em cada um destes grupos, representando 25%, respetivamente. Abaixo de 1 ano de idade e entre 15 e 19 anos de idade, foram encontrados 3 casos em cada grupo, representando 12,50%, respetivamente.

A significância, p = 0,406 da estatística Qui-quadrado, corrobora que a distribuição por faixa etária foi semelhante no sexo masculino e feminino, não havendo diferenças significativas entre eles.

O local de residência dos pacientes (tabela 2) mostra que 10 casos (41,67%) vieram da província de Sancti Spiritus. Em segundo lugar, 6 doentes eram de Villa Clara, o que representava 25% do total. De outras províncias, Ciego de Avila e Cienfuegos com 3 pacientes de cada província (12,50%) respetivamente, Granma e Matanzas com 1 paciente de cada (4,17%) respetivamente.

A cor da pele (quadro 3) era branca em 21 doentes, o que representa 87,5 % da amostra. Apenas 3 doentes não eram brancos, o que representa 12.5 %.

O estado nutricional dos doentes pediátricos com leucemia mieloide aguda (tabela 4 e gráfico 1) mostra que 18 crianças (75%) têm peso normal. Seguem-se as crianças acima do peso normal, com 1 com excesso de peso (4,17%) e 3 com obesidade (12,50%). Apenas 2 doentes (8,33%) foram

36

classificados como magros de acordo com o seu estado nutricional.

Os resultados dos exames complementares ao diagnóstico são apresentados na tabela 5. Relativamente à hemoglobina, a anemia estava presente ao diagnóstico em 23 doentes, o que representava 95,83% do total estudado.

Aquando do diagnóstico, 18 crianças (75 %) apresentavam leucocitose e 4 doentes (16,70 %) apresentavam leucopenia. Apenas 2 casos (8,30 %) apresentavam valores normais de leucócitos.

A trombocitopenia foi observada em 17 doentes, o que representou 70,80 % do total estudado.

A tabela 6 e o gráfico 2 mostram as complicações que ocorreram nos doentes pediátricos com Leucemia Mieloide Aguda, e a tabela estabelece a relação destas complicações com o sexo das crianças.

A sépsis foi a principal complicação, ocorrendo em 22 doentes e constituindo 91,67%, com uma distribuição semelhante no sexo masculino e feminino, p = 0,460.

A neutropenia febril foi a segunda complicação, ocorrendo em 87,50% das 21 crianças com LMA. A sua manifestação não foi dependente do sexo, mas foi encontrada em todas as 21 crianças com LMA.
= 1.000.

A hemorragia antes da quimioterapia foi uma complicação que ocorreu em 15 doentes (62,50%), também com manifestação semelhante em ambos os sexos, p = 0,202.

A síndroma de lise tumoral ocorreu em 10 casos (41,67 5). Ocorreu em 25% dos casos do sexo masculino e 58,33% dos casos do sexo feminino, embora não tenha mostrado diferenças significativas, p = 0,214.

A hemorragia relacionada com a quimioterapia foi uma complicação em 6 doentes (25 %), dos quais 5 eram do sexo masculino e 1 do sexo feminino, embora não fossem significativamente diferentes (p = 0,157).

A cardiotoxicidade ocorreu em 8 pacientes (33,33%), com igual frequência em homens e mulheres, p = 1,000.

A hiperleucocitose manifestou-se em apenas 2 doentes (8,33%), ambos do sexo masculino.

A Tabela 7 estabelece a relação entre as complicações e a idade dos pacientes, mostrando que a ocorrência de complicações não apresentou diferenças significativas nas faixas etárias estudadas, sendo que em todos os casos a significância estatística foi maior que 0,05.

A Tabela 8 relaciona as complicações apresentadas pelos doentes com leucemia mieloide aguda na fase de indução da remissão e o estado nutricional, e mostra que a presença destas complicações não dependeu do estado nutricional, exceto a cardiotoxicidade e a hiperleucose. A cardiotoxicidade apresentou uma associação significativa, p = 0,019. A presença desta complicação foi observada em todos os pacientes com sobrepeso e obesidade. Os dois pacientes com hiperleucose eram obesos, p = 0,002.

A Tabela 9 mostra as causas de morte por sexo em doentes pediátricos com leucemia mieloide aguda na fase de indução da remissão. Registou-se um total de 7 mortes, com uma taxa de letalidade de 29,17% dos doentes. Destes, 6 eram do sexo feminino, com uma taxa de letalidade de 50% neste sexo, e apenas 1 do sexo masculino, com uma taxa de letalidade de 8,33% no sexo masculino. A mortalidade foi significativamente dependente do sexo, sendo mais elevada no sexo feminino, p = 0,0247.

De acordo com as causas, registaram-se 3 óbitos por sépsis grave (12,50%), 1 por hemorragia intraparenquimatosa +CID (4,17%), 1 por hemorragia intraparenquimatosa +SDMO (4,17%) e 2 por hemorragia intraparenquimatosa (8,33%), sendo um do sexo feminino e um do sexo masculino.

O estado atual dos doentes pediátricos com leucemia mieloide aguda (quadro 10) mostra que 11 casos estão vivos (45,83 % da amostra), 29,17 % (7 casos) morreram devido a indução e 6 doentes (25 %) morreram devido a outras causas.

DISCUSSÃO DOS RESULTADOS:

O cancro em crianças e jovens é muito raro em todo o mundo. Estima-se que a sua incidência oscila entre 1,5 e 2 % de todas as neoplasias malignas detectadas anualmente. Em Cuba, são diagnosticados em média 300 novos casos em crianças, número que varia anualmente.[9,10,28]

No presente estudo observámos que a distribuição por sexos foi igual, com 50% de cada sexo, e que a distribuição por idades teve a mesma frequência de um a 14 anos, com menos doentes com menos de um ano e mais de 15 anos.

Ao consultar a bibliografia num estudo cubano descritivo sobre as características clínicas e epidemiológicas das leucemias em crianças, realizado no Serviço de Hematologia do Hospital Infantil Sur Docente de Santiago de Cuba,[10] encontrou um predomínio da doença no grupo etário acima dos 8 anos e nos rapazes.

Ducasse K, et al,[46] em doentes com leucemia mieloide aguda encontrou uma idade média de 9 anos com uma predominância masculina de 63%.

Menéndez Veitía A e colaboradores,[62] num estudo sobre o tratamento da leucemia mieloide aguda em crianças em Cuba, de um total de 46 doentes incluídos, verificaram um predomínio do sexo masculino (n = 32) com uma idade média de 9 anos.

Peña JA et al,[8] verificaram que as leucemias pediátricas ocorreram entre os 7 e os 15 anos, com 53,8% em crianças e adolescentes, e com picos de idade aos 5 e 9 anos, com 15,4% e 9,6%, respetivamente, e uma mediana de 7,8 ± 4,0 anos. A incidência de LMA foi maior no sexo feminino (60%), com um rácio mulher/homem de 1,5:1. Este autor encontrou uma distribuição semelhante de casos de 1 a 14 anos, sem diferenças significativas.

Na casuística estudada, os pacientes residiam fundamentalmente nas províncias de Sancti Spiritus e Villa Clara. Seria conveniente em futuras investigações realizar distribuições espácio-temporais da Leucemia Mieloide Aguda na faixa etária pediátrica, para determinar os municípios de origem destes casos, a fim de estabelecer possíveis associações espaciais dos casos. A este respeito, um estudo da literatura compara o período de risco de leucemia infantil de casos diagnosticados nos Estados Unidos em diferentes áreas, no norte (acima de 40° de latitude), como Seattle, Nebraska, Lowa, Detroit e Connecticut, com casos diagnosticados no sul dos Estados Unidos (abaixo de 40° de latitude), incluindo São Francisco, Utah, Novo México e Atlanta, e encontrou padrões trimodais mais complexos, com picos sazonais em abril, agosto e dezembro para o norte, e picos sazonais em fevereiro, julho e outubro para localidades do sul. Os autores sugerem que esses picos podem coincidir com elevações sazonais na ocorrência de alergias e processos infecciosos, elementos capazes de promover a proliferação linfocítica.[69]

Nos doentes estudados, a cor branca predominou em 21 casos, o que constituiu 87,5 % da amostra. Não consideramos que este facto esteja associado à presença da doença, mas sim à distribuição das características étnicas da população cubana e às regiões centrais do país, que registaram a maior frequência de casos.

Autores consultados,[15-17] referem o facto de a incidência de leucemia no grupo etário pediátrico não apresentar diferenças por sexo ou raça. Não há referências a estudos que apresentem estas características.

No presente estudo, o estado nutricional das crianças com leucemia mieloide aguda foi adequado, nenhuma estava desnutrida e houve um predomínio de crianças com peso normal, o que favorece a qualidade dos cuidados pediátricos prestados em Cuba, regidos pelo programa mãe e filho. Os estudos cubanos consultados mostram resultados semelhantes, com uma maior frequência de crianças normoponesas no momento do diagnóstico da doença.[9,10,28,46]

Os doentes da série estudada apresentavam, no momento do diagnóstico, anemia, leucocitose e trombocitopenia, resultados que, juntamente com os exames clínicos e outros exames de diagnóstico, corroboram a presença da doença.

González Gilart G,[10] num estudo cubano verificou que as formas clínicas de apresentação incluíam síndrome anémico, manifestações hemorrágicas purulentas e febre.

Outros autores como Naoe T,[70] Hernández Cruz C e colaboradores,[56] e Fernández HF,[57] mostram resultados semelhantes dos exames complementares utilizados para o diagnóstico da doença.

Relativamente às complicações, a sépsis, a neutropenia febril e a hemorragia antes da quimioterapia foram observadas em quase todas as crianças do presente estudo, com uma distribuição semelhante consoante o sexo. A síndroma de lise tumoral foi mais frequente no sexo feminino e a hemorragia de quimioterapia e a hiperleucocitose no sexo masculino, mas não se verificaram diferenças estatisticamente significativas. A cardiotoxicidade ocorreu com baixa frequência e com uma distribuição semelhante entre os sexos.

Concordamos com o que foi dito sobre as complicações na fase de indução na literatura consultada. É referido que, devido à neutropenia profunda e prolongada secundária à quimioterapia, as infecções bacterianas e fúngicas são a principal causa de morbilidade e mortalidade em doentes com LMA, o que se reflecte em períodos prolongados de hospitalização, no aumento da utilização de antimicrobianos de largo espetro, na emergência de resistência antimicrobiana e no aumento de superinfecções associadas.[71-73]

Ducasse K et al,[46] caracteriza os episódios de neutropenia febril em doentes com LMA, nos quais observou um maior número de dias de febre, uma maior frequência de hipotensão arterial e sépsis e internamentos prolongados em enfermarias de cuidados agudos. A frequência de sépsis encontrada por este autor foi de 27,7% no grupo LMA e encontrou focos infecciosos em 70% destes doentes, sendo os mais frequentes a bacteriémia (23%), respiratória (27%) e digestiva (25%), principalmente de etiologia bacteriana. Este autor conclui que os episódios de neutropenia febril em crianças com LMA requerem uma abordagem diagnóstica e terapêutica mais agressiva, relacionada com a sua gravidade.

González Gilart G et al,[10] verificaram que a febre era o sintoma predominante em todas as crianças com LMA, e que as manifestações purpúrico-hemorrágicas foram encontradas em 76,6% delas. A complicação mais frequente foi a infeção, com 95,7 %, seguida da hemorragia (90 %).

Cavagnaro S F,[74] sobre a síndrome de lise tumoral em pediatria, afirma que se trata de uma emergência metabólica resultante da destruição rápida e maciça de células tumorais espontaneamente ou secundária à terapia citolítica do cancro. Esta situação produz um enorme desequilíbrio do meio interno, uma vez que grandes quantidades de conteúdo intracelular são libertadas para o espaço intersticial e intravascular, com consequências clínicas graves e mesmo fatais. O reconhecimento adequado dos factores de risco que podem causar esta síndrome, bem como a sua prevenção e tratamento específicos, têm diminuído substancialmente as complicações e melhorado a sobrevivência destes doentes.

Relativamente a esta complicação, outros autores,[75-77] identificam factores de risco associados, tais como: tumores grandes ou extensos (tumor >10 cm de diâmetro ou leucocitose > 50 000 x mm³), envolvimento extenso da medula óssea, tumores com elevada taxa de proliferação celular ou com elevada sensibilidade a agentes quimioterapêuticos e, entre os factores predisponentes do hospedeiro níveis séricos elevados de lactato desidrogenase (superiores a duas vezes o limite superior do normal), hiperuricemia ou hiperfosfatemia de base, disfunção renal pré-existente, depleção de volume e oligúria. Não existem referências na literatura à sua associação com variáveis epidemiológicas dos doentes.

Uma complicação comum da leucemia mieloide aguda é a hiperleucocitose. A sua apresentação tem sido associada a uma redução da sobrevivência. O seu reconhecimento pode ser difícil, uma vez que pode mimetizar a presença de infecções e complicações hemorrágicas associadas à leucemia aguda.[78] No presente estudo encontrámos apenas dois doentes com esta complicação, que tiveram uma evolução desfavorável com outras complicações associadas e faleceram, embora não na indução.

Peña JA,[8] relatou uma incidência de complicações em 35 casos (67,3%) e as principais complicações foram infecciosas em 23 pacientes (65,7%), das quais 22,8% ocorreram na fase de indução. Tang et al,[79] no Japão em 2009, encontraram 27,2% de complicações infecciosas nesta fase.

As complicações hemorrágicas foram as terceiras mais frequentes no presente estudo, com uma percentagem superior à de Peña JA,[8] , que verificou que as complicações hemorrágicas eram as mais frequentes, a seguir às complicações infecciosas, com 11,4%. Kim et al,[80] na Coreia em 2006, encontraram 18,9%.

Vários autores referem,[8,53,81] , que este tipo de complicação é comum em

44

indivíduos com cancro hematológico. A hemorragia ocorre por várias razões, incluindo a alteração da função e do número de plaquetas, deficiências nos factores de coagulação, anticoagulantes circulantes e defeitos na integridade vascular. A hemorragia tem sido considerada uma causa de morte prematura em crianças com leucemia. Os potenciais riscos associados incluem hiperleucocitose, imunofenótipo de leucemia, especialmente leucemia promielocítica aguda, trombocitopenia e leucemia associada a infecções.

No presente estudo, a cardiotoxicidade ocorreu em 33,33% dos doentes. Tem sido sugerido na literatura que as antraciclinas, consideradas atualmente como os mais importantes fármacos anti-tumorais, têm precisamente esta limitação, sendo a sua utilidade clínica restringida pelo aparecimento de cardiomiopatias.[82,83]

A frequência de anomalias miocárdicas subclínicas registadas após o tratamento com antraciclinas é de até 57% e de anomalias cardíacas sintomáticas de até 16%.[84]

Foi referido que a maior frequência de cardiotoxicidade se verifica com uma dose cumulativa superior a 450 mg/m² SC. No entanto, verificou-se a ocorrência de danos no miocárdio com doses inferiores.[82]

Nos doentes incluídos no estudo, as complicações na fase de indução da remissão não dependeram da idade dos doentes e a distribuição destes grupos foi semelhante.

Peña JA,[8] na coorte de estudo da sua investigação verificou que 55,8% do sexo masculino apresentou complicações, sendo as complicações infecciosas as mais frequentes em 60,9%. Em termos de idade, este autor encontrou complicações em 46,2% do grupo etário dos 0 aos 6 anos e as principais complicações foram infecciosas em 60,9%. Na faixa etária de 7 a 15 anos encontrou 64% de complicações.

Relativamente ao estado nutricional da casuística estudada, observou-se uma relação entre complicações como a cardiotoxicidade e a hiperleucocitose em função do estado nutricional, com predomínio nos indivíduos com excesso de peso e obesidade. Com estes resultados não podemos estabelecer uma associação causal, uma vez que se trata de um estudo descritivo com uma amostra de dimensão reduzida, podendo esta distribuição dever-se ao acaso. Não há referências na literatura sobre a influência do peso corporal nestas complicações.

Nos pacientes estudados, a mortalidade durante a indução foi de 29,17%, dependendo do sexo, com apenas um óbito no sexo masculino e quase todos no sexo feminino. A principal causa de morte foi a sépsis grave. Aquando da conclusão do estudo, 45,83% dos doentes estavam ainda vivos, uma vez que um quarto dos doentes tinha também falecido por outras causas não relacionadas com o processo de indução da remissão.

A literatura refere que a taxa de sobrevivência aos cinco anos para os diferentes tipos de leucemia melhorou substancialmente nas últimas décadas, por exemplo, na década de 1960, uma criança com leucemia tinha 5% de hipóteses de sobreviver aos cinco anos; no final da década de 1970, 50% das crianças com LLA e raramente uma criança com LMA sobreviviam. No período de 1990-2000, as taxas de sobrevivência da leucemia tornaram-se semelhantes quando se comparam os resultados dos EUA, da Europa e da América.[9]

Um estudo realizado no Chile,[46] , mostra que a taxa de sobrevivência de cinco anos para a LMA em crianças com menos de 15 anos de idade é de 50%. Apesar do tratamento de quimioterapia (QT) utilizado, 30% das crianças apresentam recidiva da doença e 10% não respondem à QT.

Vários autores,[54,61,62,85] sugerem que a menor taxa de sobrevivência nos doentes com LMA se deve aos efeitos tóxicos e à morbilidade e mortalidade associadas aos regimes agressivos de QT necessários para tentar curar a doença.

A tendência para morrer mais no grupo de crianças com LMA poderá ser explicada pela existência de outras causas de mortalidade descritas neste grupo de doentes, tais como hemorragias maciças (especificamente na LMA M3), distúrbios hídricos e electrolíticos, disfunção renal e envolvimento neurológico.[15-217,68,86]

González Gilart G, et al,[10] relativamente à mortalidade identificou 66,6 % das mortes em doentes pediátricos com leucemia mieloide aguda em Santiago de Cuba de 2006 a 2010.

Peña JA,[8] calcula o risco relativo (RR) de complicações infecciosas e hemorrágicas e de mortalidade. O risco de complicações infecciosas e morte foi de 2,06 (95% CI 0,26-16,65) e 1,93 (95% CI 0,28-13,32) para complicações hemorrágicas, embora os resultados não tenham sido estatisticamente significativos (p>0,05). A sobrevivência às 120 semanas foi de 60% para a LMA.

CONCLUSÕES:

Os doentes pediátricos com leucemia mieloide aguda tratados no Hospital Pediátrico Universitário "José Luís Miranda" durante o período em estudo tiveram uma distribuição semelhante segundo o sexo, e com maior frequência entre os 1 e os 14 anos de idade, maioritariamente de Sancti Spiritus e Villa Clara, com predomínio da cor branca, peso e estado nutricional normais. Quase todos apresentavam anemia, leucocitose e trombocitopenia. As principais complicações foram a sépsis e a neutropenia febril, que não estiveram associadas ao sexo ou à idade dos doentes. A hiperleucocitose ocorreu nos doentes obesos e a cardiotoxicidade predominou nos doentes com excesso de peso e obesidade. Pouco mais de metade dos doentes morreram no final do estudo e, destes, um em cada dois morreu devido à indução.

REFERÊNCIAS BIBLIOGRÁFICAS:

1. Lichtman MA, Liesveld JL. Leucemia mielogénica aguda. In: Williams Hematology. 8ª ed [Internet]. Nova Iorque: McGraw-Hill; 2010. p.1056 - 69. Disponível em: http://accessmedicine.mhmedical.com/content.aspx?bookid=358&secti onid=39 835911

2. Ferlay J, Shin HR, Bray F, Forman D, Mathers C, Parkin DM (2010) Estimates of worldwide burden of cancer in 2008: GLOBOCAN 2008. Int J Cancer [Internet]. 2010 [citado em maio de 2014]; 127(12): [aprox. 14 p.]. Disponível em: http://onlinelibrary.wiley.com/doi/10.1002/ijc.25516/pdf

3. Bosetti C. Childhood cancer mortality in Europe, 1970-2007. Eur J Cancer [Internet]. 2010 [citado maio 2014]; 46(2): [aprox. 10 p.]. Disponível em: http://www.ncbi.nlm.nih.gov/pubmed/19818600

4. Couto AC, Ferreira JD, Koifman RJ, Monteiro GT, Pombode-Oliveira MS, Koifman S. Tendências da mortalidade por leucemia na infância num período de 25 anos. J Pediatr [Internet]. 2010 [citado maio 2014]; 86(5): [aprox. 5 p.]. Disponível em: http://www.scielo.br/pdf/jped/v86n5/en_v86n5a09.pdf

5. Maloney K, Greffe BS, Foreman NK; Giller RH, Quinones RR, Gram. DK, et al. Acute Lymphoblastic Leukemia In: Levin M, Sondheimer J, Deterding R. Current diagnosis and treatment in paediatrics. 20ª ed [Internet]. Nova Iorque: McGraw-Hill; 2011. p. 853- 856. [Internet]https://www.fgq77.files.wordpress.com/2013/07/current_diag nosis_a nd_treatment_pediatrics.pdf

6. Guillerman RP, Voss SD, Parker BR. Leukemia and Lymphoma. Radiol Clin N Am [Internet]. 2011 [cited May 2014]; 49(4). [Internet]

www.radiologic.theclinics.com/article/S0033-8389(11)00062-5/pdf.

7. Riquelme S V, García B C. Estudos imagiológicos no diagnóstico precoce da leucemia em pediatria. Rev. Chil. Radiol [Internet]. 2012 [citado em maio de 2014];18(1):   [aprox. 5   p.]. Disponível   em: http://www.scielo.cl/pdf/rchradiol/v18n1/art06.pdf

8. Peña JA, Pantoja JA, Acosta ÁM, Argotty-Pérez E, Mafla AC. Complicações associadas e análise de sobrevida de crianças com leucemias agudas tratadas com o protocolo BFM-95. Rev Univ Health [Internet]. 2014 [cited Jan 2015];   16(1). Disponível em: http://www.scielo.org.co/scielo.php?script=sci_arttext&pid=S0124-71072014000100002.

9. Vera AM, Pardo C, Duarte MC, Suárez A. Análise da mortalidade por leucemia aguda pediátrica no Instituto Nacional do Cancro. Biomedica [Internet]. 2012 [citado maio 2014]; 32: [aprox. 5 p.].Disponível em: http://www.scielo.org.co/scielo.php?script=sci_pdf&pid=S0120-41572012000300006&lng=en&nrm=iso&tlng=en.

10. González Gilart G, Salmão Gainza SL, Querol Betancourt N, et   al. Características clínicas e epidemiológicas das leucemias em crianças. MEDISAN [Internet]. 2011 [citado abril 2015]; 15(12).   Disponível en: http://scielo.sld.cu/scielo.php?script=sci_pdf&pid=S1029-30192011001200005&lng=es&nrm=iso&tlng=es

11. Creutzig U, Van den Heuvel-Eibrink MM, Gibson B, Dworzak MN, Adachi S, De Bont E, et al. Diagnosis and management of acute myeloid leukemia in children and adolescents: recommendations from an international expert panel. Blood [Internet]. 2012 [citado em abril

de 2015]; 120 (16). Disponível em: http://www.ncbi.nlm.nih.gov/pubmed/22879540

12. Harrison CJHills RK, Hills RK, Moorman AV, Grimwade DJ, Hann I, Webb DK, et al. Cytogenetics of Childhood Acute Myeloid Leukemia: United Kingdom Medical Research Council Treatment Trials AML 10 and 12, J. Clin. Oncol [Internet]. Jun 2010 [citado abril 2015]; 28. Disponível em: http://www.ncbi.nlm.nih.gov/pubmed/20439644

13. Balgobind BVRaimondi SC, Harbott J, Zimmermann M, Alonzo TA, Auvrignon A, et al. Novel prognostic subgroups in childhood 11q23/MLL-rearranged acute myeloid leukemia: results of an international retrospective study. Blood [Internet]. Set 2009 [citado abril 2015]; 114(12). Disponível em: http://www.ncbi.nlm.nih.gov/pubmed/19528532

14. Niewerth DCreutzig U, Bierings MB, Kaspers GJ. A review on allogeneic stem cell transplantation for newly diagnosed paediatric acute myeloid leukaemia. Blood [Internet]. Sep 2010 [cited 2015 Apr 2015]; 116. Disponível em: http://www.ncbi.nlm.nih.gov/pubmed/20538803

15. Burnett A, Wetzler M, Löwenberg B. Therapeutic Advances in Acute Myeloid Leukemia [Avanços terapêuticos na leucemia mieloide aguda]. J Clin Oncol [Internet]. 2011 [citado em março de 2013]; 29(5). Disponível em: http://jco.ascopubs.org/content/early/2011/01/10/JCO.2010.30.1820.full.pdf

16. Dombret H. Terapia óptima para a leucemia mieloide aguda em 2012. Programa Educacional EHA 2012; 6:41-48

17. Estey E. Actualizações Clínicas Anuais em Malignidades Hematológicas: Uma Série de Educação Médica Contínua: Leucemia mieloide aguda: atualização de 2012 sobre diagnóstico, estratificação de risco e gestão. Material Educacional da ASH. ASH; 2011.

18. Alencar Á, Buessio R, Scheinberg P. Leucemias agudas, In: Manual Brasileiro de Oncologia Clínica; [Internet]2013. São Pulo, Brasil: Conselho Regional de Medicina do Estado. Disponível em: https://mocbrasil.com/moc- hemato/neoplasias-malignas/9-leucemias-agudas-introducao.

19. Döhner H. Implicações da caraterização molecular da leucemia mieloide aguda. Hematologia Am Soc Hematol Educ Program. [Internet] 2007[citado em janeiro de 2015]. Disponível em: http://www.ncbi.nlm.nih.gov/pubmed/18024659

20. Gilliland G, Jordan CT, Felix CA. A base molecular da leucemia. American Society of Hematology Education Program Book [Internet] 2007 [citado em janeiro de 2015]. Disponível em: http://www.ncbi.nlm.nih.gov/pubmed/15561678

21. Rubnitz JE. Childhood acute myeloid leukemia. Curr Treat Options Oncol, Feb[Internet] 2008[cited January 2015]; 9(1). Disponível em: http://www.cancer.gov/types/leukemia/patient/child-aml-treatment-pdq

22. Rubnitz JE et al. Acute mixed lineage leukemia in children: the experience of St. Jude Children's Research Hospital. Blood 2009; 113(21):5083-5089.

23. Rubnits JE, Gibson B, Smith FO. Acute Myeloid Leukemia (Leucemia Mieloide Aguda). Pediatr Clin N Am [Internet]. 2008 [citado em fevereiro de 2013]; 55(1). Disponível em: http://www.elsevier.com/copyright.

24. David G. Tubergen, Archie Bleyer, Kim Ritchey. Acute myeloid

leukaemia. In: Nelson, A Treatise on Paediatrics. 19ª ed. Filadélfia: Saunders Elservier; 2011.

25. NCCN. Directrizes de Prática Clínica da NCCN em Oncologia. Acute Myeloid Leukaemia; [Internet] 2009 [cited 21 Feb 2013] Disponível em: http://www.nccn.org.

26. Grupo de Trabalho do Estudo All. ALL IC-BFM 2007 13ª reunião anual do I-BFM-SG. Budapeste, Hungria; 3-5 de maio, [Internet] 2007 [citado 12 Jan 2013] Disponível em: http://www.infomed.sld.cu

27. Garay G, Aversa LA, Svarch E, Sackman Muriel F, Drelichman G, Santareli MT. Progressos no tratamento da leucemia linfoide aguda em crianças. Experiência GATLA/GLATHEM. Sangue 1989; 34 (2): 136 - 43.

28. Vergara B, Svarch E. Leucemia linfoblástica aguda na infância. Acompanhamento pós-tratamento de 430 pacientes. Rev Esp Paediatr 2004; 60: 348 -
54.

29. Svarch E, González A, Vergara B, Campos M, Dorticós E, Espinosa E, et al e Grupo para el Estudio y Tratamiento de las Hemopatías Malignas en Cuba (GETHMAC). Tratamento das leucemias em Cuba 1973-1995. Rev Cubana Hematol Inmunol Hemoter 1996;12: 112 - 8.

30. Camañas Troyano C. Ponatinib: uma nova alternativa para o tratamento da leucemia mieloide crónica resistente. Cartas ao Editor. Farm Hosp. 2013;37(5):424-429.

31. Sociedade Europeia de Oncologia Médica. Leucemia mieloide crónica: Directrizes de prática clínica da ESMO para o diagnóstico, tratamento e acompanhamento. Annals of Oncology. 2012; 23 (Suppl. 7).

32. Eiring E. Advanes in the treatment of chronic myeloid leukaemia. BMC Medicine. [Internet 2011[cited January 2015];9. Disponível em: http://www.biomedcentral.com/1741-7015/9/99

33. O Hare. Targeting the BCR-ABL signalling pathway in therapy resistant philadelpia chromosome-positive leukaemia. Clin Cancer Res. 2011 janeiro 15;17(2).

34. Talpaz M, et al. Phase I trial of AP24534 in patients with refractory chronic myeloid leukaemia (CML) and haematologic malignancies. J Clin Oncol. 2010 [Internet] 2010[citado em janeiro de 2015]; 28. Disponível em: http://meetinglibrary.asco.org/content/53232-74

35. Hutter J. Childhood Leukemia. Pediatr Rev. 2010; 31:234-241.

36. Vormoor J, Chintagumpala M. Leucemia e cancro em recém-nascidos. Semin Fetal Neonatal Med. 2012 Ago; 17(4):183-4.

37. Bresters D, Reus AC, Veerman AJ, van Wering ER, van der Does-van den Berg A, Kaspers GJ. Leucemia congénita: a experiência holandesa e revisão da literatura. Br J Haematol [Internet] 2002 [citado em janeiro de 2015];117. Disponível em: http://www.ncbi.nlm.nih.gov/pubmed/12028017

38. Krivtsov AV, Feng Z, Lemieux ME, Faber J, Vempati S, Sinha AU, et al. Os perfis de metilação H3K79 definem as leucemias murinas e humanas MLL-AF4. Cancer Cell. [Internet] 2008[citado em janeiro de 2015]; 14. Disponível em: http://www.ncbi.nlm.nih.gov/pubmed/18977325

39. Zweidler-McKay PA, Hilden JM. The ABCs of Infant Leukemia (O ABC da Leucemia Infantil). Curr Probl Pediatr Adolesc Health Care. [Internet] 2008[citado em janeiro de 2015];38. Disponível em: http://www.ncbi.nlm.nih.gov/pubmed/18279790

40. Van der Linden MH, Creemers S, Pieters R. Diagnosis and management of neonatal leukaemia (Diagnóstico e tratamento da leucemia neonatal). Seminars Fetal Neonatal Med. [Internet] 2012 [citado em janeiro de 2015], 17. Disponível em: http://www.ncbi.nlm.nih.gov/pubmed/22510298

41. Creutzig U. Tratamento adaptado ao risco na LMA pediátrica. 3º Congresso Internacional de Leucemia, Linfoma e Mieloma. 2011 maio 11-14 Istambul, Turquia. Livro de Actas e Resumos. p. 210-2.

42. Creutzig U, Zimmermann M, Bourquin JP, Dworzak MN, Kremens B, Lehrnbecher T, et al. Resultado favorável em bebés com LMA após tratamento intensivo de primeira e segunda linha: um relatório do grupo de estudo AML-BFM. Leukemia [Internet]. 2012 Apr [cited January 2015]; 26(4). Disponível em: http://www.ncbi.nlm.nih.gov/pubmed/21968880

43. Roy A, Roberts I, Vyas P. Biologia e gestão da mielopoiese anormal transitória (TAM) em crianças com síndrome de Down. Seminars Fetal Neonatal Med. [Internet] 2012[citado em janeiro de 2015]; 17. Disponível em: http://www.ncbi.nlm.nih.gov/pubmed/22421527

44. Xavier AC, Taub JW. Leucemia aguda em crianças com síndrome de Down. Haematol. [Internet] 2010[citado em janeiro de 2015]; 95(7). Disponível em:http://www.haematologica.org/content/95/7/1043

45. Mitelman F, Johansson B e Mertens F. Mitelman Database of Chromosome Aberrations and Gene Fusions in Cancer [Internet]. Bethesda: NationalInstitutes of Health; 2013 [citado 2015 Jan 5]. Disponível em: http://cgap.nci.nih.gov/Chromosomes/Mitelman

46. Ducasse K, Fernández JP, Salgado Carmen, et al. Caracterização dos episódios de neutropenia febril em crianças com leucemia mieloide

aguda e leucemia linfoblástica aguda. Rev Chilena Infectol [Internet]. 2014 [citado 2015 Jan 5]; 31 (3). Disponível em:http://www.scielo.cl/pdf/rci/v31n3/art13.pdf

47. Campbell M, Salgado C, Varas M. Guia Clínico 2010 Leucemia em pessoas com menos de 15 anos de idade. Colômbia: MINSAL; 2010. Disponível em: http://web.minsal.cl/portal/url/item/7220fdc433e944a9e04001011f0113b9.pdf

48. Salgado C, Becker A, Campbell M. Protocolo nacional para o tratamento da leucemia mieloblástica aguda. Colômbia: MINSAL; 2006.

49. Gupta A, Singh M, Singh H. Infections in acute myeloid leukemia: an analysis of 382 febrile episodes. Med Oncol [Internet]. 2010 [citado em janeiro de 2014]; 27. Disponível em: https://www.researchgate.net/publication/38012994_Infections_in_acut e_myel oid_leukemia_An_analysis_of_382_febrile_episodes

50. Gómez-Almaguer D, Flores-Jiménez JA, Cantú-Rodríguez O, Homero Gutiérrez-Aguirre C. Utilidade do transplante de células hematopoiéticas na leucemia mieloide aguda. Rev Hematol Mex [Internet]. 2012 [citado em julho de 2013]; 13(2). Disponível em: http://www.medigraphic.com/pdfs/hematologia/re-2012/re122f.pdf.

51. Ohtake S, Miyawaki S, Fujita H, Kiyoi H, Shinagawa K, Usui N, et al. Estudo aleatório de terapia de indução comparando idarubicina em dose padrão com daunorubicina em dose elevada em doentes adultos com leucemia mieloide aguda não tratada previamente: o estudo JALSG AML201. Blood [Internet]. 2011 [citado em janeiro de 2014]; 117(8). Disponível em:

http://www.ncbi.nlm.nih.gov/pubmed/20693429

52. Mulrooney DA, Yeazel MW, Kawashima T, et al. Cardiac outcomes in a cohort of adult survivors of childhood and adolescent cancer: retrospective analysis of the Childhood Cancer Survivor Study cohort. BMJ [Internet]. 2009 [citado em janeiro de 2014]; 339. Disponível em http://www.bmj.com/content/339/bmj.b4606.

53. Whelan KStratton K, Kawashima T, Leisenring W, Hayashi S, Waterbor J, et al. Complicações auditivas em sobreviventes de cancro infantil: um relatório do estudo de sobreviventes de cancro infantil. Pediatr Blood Cancer [Internet]. 2011 [citado Jan.   2014]; 57 (1). Disponível   em http://www.ncbi.nlm.nih.gov/pubmed/21328523

54. Piñeros M, Pardo C, Otero J, Suárez A, Vizcaíno M, García S, et al. Protocolo de vigilância e controlo das leucemias agudas pediátricas; 2010. [acedido em janeiro de 2014]. Disponível em   en: http://190.27.195.165:8080/index.php?idcategoria=39005#

55. Llimpe Y, Monteza R, Ticlahuanca J, Rubio P. Leucemia mieloide aguda subtipo m2 com variante de translocação t(8;21) e expressão de aml1/eto. Rev Peru Med Exp Salud Publica [Internet]. 2013 [citado em   janeiro   de   2014];   30(1).   Disponível   em: http://www.scielosp.org/scielo.php?script=sci_pdf&pid=S1726-46342013000100029&lng=en&nrm=iso&tlng=en

56. Hernández Cruz C, Núñez Quintana A, Rodríguez Fraga Y. Primeiro caso de leucemia mieloide aguda tratada em Cuba com altas doses de antraciclinas na indução. Rev Cub Med [Internet]. 2012 [citado em janeiro   de   2014];   51(2).   Disponible   en: http://scielo.sld.cu/scielo.php?script=sci_pdf&pid=S0034-

75232012000200011&lng=es&nrm=iso&tlng=es

57. Fernandez HF, Rowe JM. Induction therapy in acute myeloid leukemia: intensifying and targeting the approach. Cur Op Hematol [Internet]. 2010 [citado em janeiro de 2014]; 17(2). Disponível em: http://www.ncbi.nlm.nih.gov/pubmed/20087177

58. Pérez C, Agustí MA, Tornos P. Cardiotoxicidade tardia induzida por antraciclinas. Med Clin (Barc) [Internet]. 2011 [citado 20 de janeiro de 2014];
133(8). Disponível em: http://www.elsevier.es/es-revista-medicina-clinica-2- articulo-cardiotoxicity-anthracycline-induced-tardia-induced-ardia-13140244.

59. Kolitz JE, George SL, Dodge RK. Estudos de escalonamento de doses de citarabina, daunorrubicina e etoposídeo com e sem modulação da resistência a múltiplos fármacos com PSC-833 em adultos não tratados com leucemia mieloide aguda com menos de 60 anos: resultados finais de indução do Estudo 9621 do Grupo B de Cancro e Leucemia. J Clin Oncol [Internet]. 2004 [citado em junho de 2013]; 22(1). Disponível em:http://www.ncbi.nlm.nih.gov/pubmed/15514371

60. Fernandez HF, Sun Z, Yao X, Litzow MR, Luger SM, PaiettaEM, et al. Anthracycline dose intensification in acute myeloid leukemia. N Engl J Med [Internet]. 2011 [citado em junho de 2015]; 361(13). Disponível em:http://www.nejm.org/doi/full/10.1056/NEJMoa0904544

61. Villela L, Bolaños-Meade J. Acute myeloid leukaemia: optimal management and recent developments. Drugs [Internet]. 2011 [citado em junho de 2015]; 71(12). Disponível em:http://www.ncbi.nlm.nih.gov/pubmed/21861539

62. Menéndez Veitía A, González Otero A, Svarch Eva. Tratamento d a

leucemia mieloide aguda em crianças em Cuba. Rev Cubana Hematol Inmunol Hemoter. [Internet]. 2013 [citado junho de 2015]; 29(2). Disponível em:http://scielo.sld.cu/scielo.php?script=sci_arttext&pid=S0864-02892013000200010&lang=pt

63. Puig H, Carroll WL, Meshinchi S, Arceci RJ. Biologia, estratificação do risco e terapia das leucemias agudas pediátricas: uma atualização. J Clin Oncol [Internet]. 2011 [citado em julho de 2013]; 29(5). Disponível em: http://www.ncbi.nlm.nih.gov/pubmed/21220611

64. Rubinitz JE. How I treat pediatric acute myeloid leukemia. Blood [Internet]. 2012 [citado em julho de 2013]; 119(25). Disponível em: http://www.ncbi.nlm.nih.gov/pubmed/22566607

65. Gibson B. O lugar do transplante de células estaminais na 1ª remissão na LMA pediátrica. 3º Congresso Internacional de Leucemia, Linfoma e Mieloma. 2011 11-14 de maio Istambul, Turquia. Actas e Livro de Resumos. p 200-3.

66. Gupta V, Tallman MS, Weisdorf DJ. Allogeneic hematopoietic cell transplantation for adults with acute myeloid leukemia: myths, controversies, and unknowns. Blood [Internet]. 2011 [citado em julho de 2013]; 117(8). Disponível em: http://www.ncbi.nlm.nih.gov/pubmed/21098397

67. Vellenga E, van Putten W, Ossenkoppele GJ, Verdonck LF, Theobald M, Cornelissen JJ, et al. Autologous peripheral blood stem cell transplantation for acute myeloid leukemia. Blood [Internet]. 2011 [citado em julho de 2013]; 118(23). Disponível em: http://www.ncbi.nlm.nih.gov/pubmed/21951683

68. De Witte T, Hagemeijer A, Suciu S, Belhabri A, Delforge M, Kobbe G, et al. Value of allogeneic versus autologous stem cell

transplantation and chemotherapy in patients with myelodysplastic syndromes and secondary acute myeloid leukemia. Resultados finais de um ensaio prospetivo aleatório do Intergrupo Europeu. Haematologica [Internet]. 2010 [citado em julho de 2013]; 95(10). Disponível em: http://www.ncbi.nlm.nih.gov/pubmed/20494931

69. Vardiman JW, Thiele J, Arber DA, Brunning RD, Borowitz MJ, Porwit A, et al. A revisão de 2008 da classificação da Organização Mundial de Saúde (OMS) das neoplasias mielóides e da leucemia aguda: fundamentação e alterações importantes. Blood [Internet]. 2009 [citado em julho de 2013]; 114(5). Disponível em: http://www.ncbi.nlm.nih.gov/pubmed/19357394

70. Naoe T, Niederwieser D, Ossenkoppele GJ, Sanz MA, Sierra J, Burnett MS, et al. Diagnosis and management of acute myeloid leukemia in adults: recommendations from an international expert panel, on behalf of the European Leukemia Net. Blood [Internet]. 2010 [citado 2013 julho]; 115(3). Disponível em: http://www.bloodjournal.org/content/bloodjournal/115/3/453.full.pdf? sso- checked=true

71. Paganini H, Santolaya M E. Diagnóstico e tratamento da neutropenia febril em crianças com cancro. Consenso da Sociedade Latino-Americana de Infetologia Pediátrica. Rev Chil Infectol [Internet]. 2011[citado em julho de 2013]; 28(11). Disponível   Em: http://www.scielo.cl/scielo.php?pid=S0716-10182011000400003&script=sci_arttext

72. Villarroel M, Aviles C, Silva P, Guzmán A M, Poggi H, Alvarez A M, et al. Fator de risco associado a doença fúngica invasiva em crianças com cancro e neutropenia febril. Uma avaliação prospetiva multicêntrica. Pediatr Infect Dis J [Internet]. 2010 [citado julho 2013]; 29(9). Disponível em:

http://www.ncbi.nlm.nih.gov/pubmed/20616763

73. Dvorak C, Fisher B, Sung L. Antifungal prophylaxis in paediatric Haematology/Oncology: new choices & new data. Pediatr Blood Cancer [Internet]. 2012 [citado em julho de 2013]; 59(1). Disponível em: http://www.ncbi.nlm.nih.gov/pubmed/22102607

74. Cavagnaro SF. Síndrome de lise tumoral em Pediatria. Rev Chil Pediatr [Internet]. 2011 [citado julho 2013]; 82 (4): [ca. 6p.]. Disponível em: http://www.scielo.cl/scielo.php?pid=S0370-41062011000400009&script=sci_arttext

75. Abu-Alfa A, Younes A. Tumor lysis syndrome and acute kidney injury: evaluation, preservation, and management. Am J Kidney Dis [Internet]. 2011[citado em julho de 2013]; 55 (S3). Disponível em: http://www.ncbi.nlm.nih.gov/pubmed/20420966

76. D'Orazio J: A síndrome de lise tumoral: uma emergência oncológica e metabólica. In: Kiessling S. Goebel J e Somers M, ed. Pediatric Nephrology in the ICU. Berlim-Heidelberg: Springer-Verlag; 2009.p. 201-18.

77. Zonfrillo M. Management of pediatric tumor lysis syndrome in the emergency department (Gestão da síndrome de lise tumoral pediátrica no departamento de emergência). Emerg Med Clin N Am [Internet]. 2011 [citado em julho de 2013]; 27(3).   Disponível   em: https://www.clinicalkey.es/#!/content/playContent/1- s2.0-S0733862709000376?returnurl=http:%2F%2Flinkinghub.elsevier.com%2Fretri eve%2Fpii%2FS0733862709000376%3Fshowall%3Dtrue&referrer=ht tp:%2F %2Fwww.ncbi.nlm.nih.gov%2Fpubmed%2F19646650

78. Moreno LP, Londoño D. Hiperleucocitose associada a leucostase pulmonar e cerebral na leucemia mieloide aguda. Ata Med Coloma [Internet]. 2011 [citado julho 2013]; 36: [aprox. 2 p.]. Disponível en: http://www.scielo.org.co/scielo.php?script=sci_pdf&pid=S0120-24482011000200007&lng=en&nrm=iso&tlng=es

79. Tang JY, Gu LJ. Relatório sobre a eficácia da indução do protocolo ALL-2005 e acompanhamento a médio prazo de 158 casos de leucemia linfoblástica aguda infantil. ZhonghuaXue Ye XueZaZhi [Internet]. 2009; 30 (5). Disponível em: http://www.ncbi.nlm.nih.gov/pubmed/19799121

80. Kim H, Lee JH, Choi SJ, Lee JH, Seol M, Lee YS, et al. Modelo de pontuação de risco para hemorragia intracraniana fatal em leucemia aguda. Leukemia [Internet]. 2006; 20(5). Disponível em: http://www.ncbi.nlm.nih.gov/pubmed/16525500

81. Ponce-Torres E, Ruíz-Rodríguez M del S, Alejo-González F, Hernández-Sierra JF, Pozos-Guillén Ade J. Manifestações orais em doentes pediátricos submetidos a quimioterapia para leucemia linfoblástica aguda. J Clin Pediatr Dent [Internet]. 2010; 34(3). Disponível em: http://www.ncbi.nlm.nih.gov/pubmed/20578668

82. Colombo A, Cipolla C, Beggiato M, Cardinale D. Cardiac toxicity of anticancer agents. Curr Cardiol Rep [Internet]. 2013 [citado em fevereiro de 2014]; 15 (5). Disponível em: http://www.ncbi.nlm.nih.gov/pubmed/23512625

83. Kucharska W, Negrusz-Kawecka M, Gromkowska M. Cardiotoxicidade do tratamento oncológico em crianças. Adv Clin Exp Med [Internet]. 2012 [citado em fevereiro de 2014]; 21(3). Disponível em: http://www.ncbi.nlm.nih.gov/pubmed/23214190

84. Eschenhagen T, Force T, Ewer MS, de Keulenaer GW, Suter TM, Anker SD, et al. Cardiovascular side effects of cancer therapies: a position statement from the Heart Failure Association of the European Society of Cardiology. Eur J Heart Fail [Internet]. 2011 [citado em fevereiro de 2014]; 13(1). Disponível em: http://www.ncbi.nlm.nih.gov/pubmed/21169385

85. Curado MP, Pontes T, Guerra-Yi ME, Cancela MC. Tendências de mortalidade por leucemia entre crianças, adolescentes e adultos jovens na América Latina. Rev Panam Salud Pública [Internet]. 2011 [citado em fevereiro de 2014];29(2): Disponível em: http://www.ncbi.nlm.nih.gov/pubmed/21437366

86. Inaba H, Fan Y, Pounds S. Clinical and biologic features and treatment outcome of children with newly diagnosed acute myeloid leukemia and hyperleukocytosis. Cancer [Internet]. 2008 [citado em fevereiro de 2014]; 113 (3). Disponível em: http://www.ncbi.nlm.nih.gov/pubmed/18484648

QUADROS E GRÁFICOS

Tabela 1: Doentes pediátricos com leucemia mieloide aguda de acordo com a idade e o sexo.

Idade (anos)	Masculino		Feminino		Total	
	Não	%	Não	%	Não	%
< 1	1	4.17		8.33		12.50
1 a 4		12.50		12.50		25.00
5 a 9	5	20.83	1	4.17		25.00
10 a 14		8.33		16.67		25.00
15 a 19	1	4.17		8.33		12.50
Total		50.00		50.00		100

Fonte: Registos médicos $X^2 = 4,000p = 0,406$

Quadro 2: Doentes pediátricos com leucemia mieloide aguda de acordo com o local de residência.

Residência	Não	%
SanctiSpiritus	10	41.67
Vila Clara		25.00
Ciego de Ávila		12.50
Cienfuegos		12.50
Granma	1	4.17
Matanzas	1	4.17
Total		100

Fonte: Registos médicos

Tabela 3: Doentes pediátricos com leucemia mieloide aguda de acordo com a cor da pele.

Cor da pele	Não	%
Branco	21	87.5
Não-branco		12.5
Total		100

Fonte: Registos médicos

Tabela 4: Doentes pediátricos com leucemia mieloide aguda de acordo com o estado nutricional.

Estado nutricional	Não	%
Delgado		8.33
Normopeso		75.00
Excesso de peso	1	4.17
Obeso		12.50
Total		100

Fonte: Registos médicos

Gráfico 1: Pacientes pediátricos com leucemia mieloide aguda de acordo com o estado nutricional.

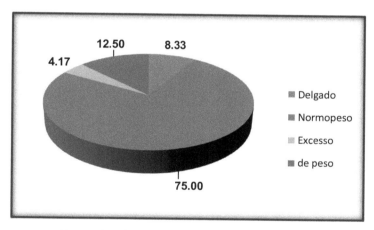

Fonte: Quadro 4

Tabela 5: Doentes pediátricos com leucemia mieloide aguda de acordo com os resultados no momento do diagnóstico.

Laboratório		Não	%
Hemoglobina	< 11 g/dl	23	95.83
	11 a 15 g/dl	1	4.17
Leucócitos	< 5*10 /L^9		16.70
	5 a 11 *10 /L^9		8.30
	> 11*10 /L^9		75.00
Plaquetas	< 150*10 /L^9		70.80
	de 150 a 450 *10 /L^9		29.20

Fonte: Registos médicos

Tabela 6: Complicações em doentes pediátricos com leucemia mieloide aguda, de acordo com o sexo.

Complicações	Sexo				X²	
	Masculino (n = 12)		Mulheres (n = 12)		Total (n = 24)	
	Não	%	Não	%	Não	%		
Sépsis	11	91.67		91.67		91.67	0.545	0.460
Neutropenia febril	11	91.67	10	83.33	21	87.50	0.000	1.000
Hemorragia antes	9	75.00		50.00		62.50	1.623	0.202
Síndroma	3	25.00		58.33	10	41.67	1.542	0.214
Hemorragia durante	5	41.67	1	8.33		25.00	2.000	0.157
Cardiotoxicidade	4	33.33		33.33	8	33.33	0.000	1.000
Hiperleucocitose	2	16.67	0	0.00		8.33	---	---

Fonte: Registos médicos

Complicações em doentes pediátricos com leucemia mieloide aguda de acordo com o sexo.

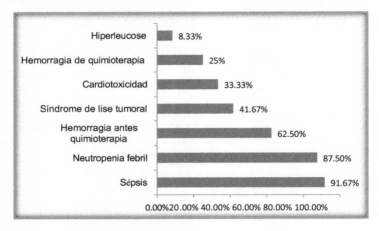

Fonte: Quadro 6

Tabela 7: Complicações em doentes pediátricos com leucemia mieloide aguda de acordo com a idade.

Complicações	Idade										X2	p
	<1 ano (n = 3)		1 a 4 (n = 6)		5 a 9 (n = 6)		10 a 14 (n = 6)		15 a 19 (n = 3)			
	Não	%	Não	%	Não	%	Não	%	Não	%		
Sépsis		100		100	5	83.33		100		66.67	4.364	0.359
Neutropenia febril		66.67	5	83.33		100		100		66.67	4.191	0.381
Hemorragia antes da quimioterapia		66.67		50		66.67	5	83.33	1	33.33	2.667	0.615
Síndroma lisistumoral		66.67		50	1	16.67		50.00	1	33.33	2.921	0.571
Hemorragia durante quimioterapia	0	0.00		50		33.33	0	0.00	1	33.33	5.333	0.255
Cardiotoxicidade	1	33.33		66.67	1	16.67		33.33	0	0.00	5.250	0.263
Hiperleucose	0	0		33.33	0	0	0	0	0	0	---	---

Fonte: Registos médicos

Tabela 8: Complicações em doentes pediátricos com leucemia mieloide aguda de acordo com o estado nutricional

Complicações	Estado nutricional								X2	p
	Delgado (n = 2)		Normopeso (n = 18)		Excesso de peso (n = 1)		Obeso (n = 3)			
	Não	%	Não	%	Não	%	Não	%		
Sépsis	1	50		94.44	1	100		100	5.091	0.165
Neutropenia febril	1	50		88.89	1	100		100	3.175	0.366
Hemorragia antes quimioterapia	1	50	10	55.56	1	100		100	2.904	0.407
Síndroma lisistumoral	0	0.00	8	44.44	0	0.00		66.67	2.971	0.396
Cardiotoxicidade	0	0.00		22.22	1	100		100	10.000	0.019
Hemorragia durante quimioterapia	0	0.00		22.22	0	0.00		66.67	3.852	0.278
Hiperleucose	0	0.00	0	0.00	0	0.00		66.67	15.273	0.002

Fonte: Registos médicos.

Tabela 9. Causas de morte na fase de indução da remissão, segundo o sexo, em doentes pediátricos com leucemia mieloide aguda.

Causas de morte na indução	Masculino (n = 12)		Feminino (n = 12)		Total (n = 24)	
	Não	%	Não	%	Não	%
Sépsis grave	0	0.00		25.00		12.50
Hemorragia intraparenquimatosa +CID	0	0.00	1	8.33	1	4.17
Hemorragia intraparenquimatosa +SDMO	0	0.00	1	8.33	1	4.17
Hemorragia intraparenquimatosa	1	8.33	1	8.33		8.33
Total	1	8.33		50.00		29.17

Fonte: Registos médicos X^2 = 5,0420 p = 0,0247

Quadro 10: Situação atual dos doentes pediátricos com Leucemia Mieloide Aguda

Situação atual	Não	%
Vivo		45.83
Morreu em indução		29.17
Morreu de outra causa		25.00
Total		100

Fonte: Registos médicos.